QUEM TEM MEDO DO FEMINISMO NEGRO?

DJAMILA RIBEIRO

Quem tem medo do feminismo negro?

17ª reimpressão

Companhia Das Letras

Copyright © 2018 by Djamila Ribeiro

Grafia atualizada segundo o Acordo Ortográfico da Língua Portuguesa de 1990, que entrou em vigor no Brasil em 2009.

Capa
Claudia Espínola de Carvalho

Foto de quarta capa
Marlos Bakker

Preparação
Lígia Azevedo

Revisão
Adriana Moreira Pedro
Jane Pessoa

Dados Internacionais de Catalogação na Publicação (CIP)
(Câmara Brasileira do Livro, SP, Brasil)

Ribeiro, Djamila
    Quem tem medo do feminismo negro? / Djamila Ribeiro. — 1ª ed.
— São Paulo : Companhia das Letras, 2018.

    ISBN: 978-85-359-3113-6

    1. Feminilidade 2. Feminismo 3. Feministas negras – Brasil 4. Mulheres negras – Memórias autobiográficas 5. Negras – Identidade racial – Brasil I. Título.

18-15261   CDD-305.42

Índice para catálogo sistemático:
1. Feminismo negro : Sociologia 305.42

[2021]
Todos os direitos desta edição reservados à
EDITORA SCHWARCZ S.A.
Rua Bandeira Paulista, 702, cj. 32
04532-002 — São Paulo — SP
Telefone: (11) 3707-3500
www.companhiadasletras.com.br
www.blogdacompanhia.com.br
facebook.com/companhiadasletras
instagram.com/companhiadasletras
twitter.com/cialetras

Sumário

Introdução — *A máscara do silêncio*. 7

"O verdadeiro humor dá um soco no fígado de quem oprime". 29

Quando opiniões também matam 33

Seja racista e ganhe fama e empatia 37

Falar em racismo reverso é como acreditar em unicórnios 41

As diversas ondas do feminismo acadêmico 44

Mulher negra não é fantasia de Carnaval 48

Quem tem medo do feminismo negro? 51

A vingança do goleiro Barbosa 54

Uma mulher negra no poder incomoda muita gente 58

Repúdio ao blackface 60

Zero Hora, vamos falar de racismo? 63

A hipocrisia em xeque 66

O racismo dos outros 69

Ser contra as cotas raciais é concordar com a perpetuação
   do racismo 72

Cansado de ouvir sobre machismo e racismo? 76

Respeitem Serena Williams......................... 79

Homens brancos podem protagonizar a luta feminista
e antirracista?............................ 82

Quem se responsabiliza pelo abandono da mãe?............ 85

Para as meninas quilombolas a hashtag não chega.......... 88

Simone de Beauvoir e a imbecilidade sem limites dos outros.. 91

"E se sua mãe tivesse te abortado?"...................... 95

Nem mulatas do Gois nem dentro de Grazi Massafera........ 98

Vidas negras importam ou a comoção é seletiva?........... 102

Xuxa e a fetichização da pobreza....................... 105

"O racismo é uma problemática branca", diz Grada Kilomba.. 108

"Bela, recatada e do lar": Que coisa mais 1792............. 113

O que a miscigenação tem a ver com a cultura do estupro?.... 116

Eduardo Paes e a desumanização da mulher negra.......... 119

Feminismo negro para um novo marco civilizatório......... 122

O mito da mulher moderna............................ 128

Racismo: Manual para os sem-noção.................... 131

O que é o empoderamento feminino?.................... 135

Estrangeira no próprio país........................... 137

A Mulata Globeleza: Um manifesto..................... 140

Leituras e links sugeridos.............................. 147

Introdução

A *máscara do silêncio*

O feminismo negro não é uma luta meramente identitária, até porque branquitude e masculinidade também são identidades. Pensar feminismos negros é pensar projetos democráticos. Hoje afirmo isso com muita tranquilidade, mas minha experiência de vida foi marcada pelo incômodo de uma incompreensão fundamental. Não que eu buscasse respostas para tudo. Na maior parte da minha infância e adolescência, não tinha consciência de mim. Não sabia por que sentia vergonha de levantar a mão quando a professora fazia uma pergunta já supondo que eu não saberia a resposta. Por que eu ficava isolada na hora do recreio. Por que os meninos diziam na minha cara que não queriam formar par com a "neguinha" na festa junina. Eu me sentia estranha e inadequada, e, na maioria das vezes, fazia as coisas no automático, me esforçando para não ser notada.

Aprendi a jogar xadrez aos seis anos, na União Cultural Brasil-União Soviética, lugar onde os comunistas da cidade de Santos levavam seus filhos para fazer cursos ou para se divertir nos fins de semana. Aos oito, fiquei em terceiro lugar no torneio da cidade.

Lembro que senti vergonha durante a premiação, com todas aquelas pessoas me olhando. Meu nome saiu no maior jornal da cidade, e meu pai o mostrava orgulhoso a todos que iam a nossa casa.

Mas todo dia eu tinha que ouvir piadas envolvendo meu cabelo e a cor da minha pele. Lembro que nas aulas de história sentia a orelha queimar com aquela narrativa que reduzia os negros à escravidão, como se não tivessem um passado na África, como se não houvesse existido resistência. Quando aparecia a figura de uma mulher escravizada na cartilha ou no livro, sabia que viriam comentários como "olha a mãe da Djamila aí". Eu odiava essas aulas ou qualquer menção ao passado escravocrata — me encolhia na carteira tentando me esconder.

Em casa, a situação era outra: eu gostava da atenção, me sentia segura. Soltava meus cabelos crespos, era falante e até pretensiosa. Gostava de ler e brincar, como qualquer criança. No prédio onde cresci, éramos a única família negra. Morávamos no apartamento número 1 e, sempre que alguém fazia uma traquinagem, culpavam "os neguinhos lá da frente", embora, na maioria das vezes, nem tivéssemos participação no caso. Mas morar no térreo tinha suas vantagens. Foi da janela do meu quarto, que dava para a rua, que ouvi uma conversa entre um dos moradores do prédio e uma vizinha de doze anos. Enquanto regava o pequeno jardim que monopolizava, esse senhor perguntou à menina quando ela iria ao seu apartamento de novo para brincar de sentar no colo dele — evito aqui a expressão que de fato usou por considerá-la ofensiva demais. Contei tudo para minha mãe, e descobriram que não somente aquele senhor abusava dela, mas também o pastor de uma igreja próxima. Houve uma tentativa de me desmentir, argumentando que eu era muito nova e não havia entendido direito, mas depois daquele dia eles quase não foram mais vistos no prédio. A "neguinha lá da frente" tinha se mostrado muito mais esperta do que eles.

* * *

Por mais que eu tirasse boas notas, fosse saudável e inteligente, uma sensação de inadequação sempre me perseguia. Assim como em *A náusea*, de Sartre, em que o enjoo do personagem passava temporariamente ao ouvir Billie Holiday, comigo isso acontecia quando ia visitar minha avó em Piracicaba — cidade natal de minha mãe, onde passei muitas das minhas férias.

D. Antônia sabia como ninguém me fazer sentir segura. Era benzedeira das boas: no dia em que atendia, uma fila se formava quarteirão afora e a gente precisava brincar na rua para não atrapalhar. Eu costumava ficar ouvindo embaixo da janela e sair correndo quando ela percebia.

Até hoje guardo a memória olfativa da casa dela, um misto de boldo, incenso de arruda, o feijão que só ela sabia fazer e o doce de abóbora com coco. Quando eu sentia dor de barriga, ela pegava uma erva do quintal e fazia um chá, hábito que tenho até hoje — com a diferença de que compro minhas ervas na feira. Ela me benzia e depois entregava a bebida. Se demorasse a passar, ficava apertando minha barriga enquanto murmurava algo inaudível. Devo ter mentido algumas vezes quanto à dor de barriga só para dormir enquanto ela me massageava.

Minha avó gostava de trançar meus cabelos. Diferente da minha mãe, que não tinha muita paciência, com ela o processo podia levar gostosas horas. Cuidadosamente, ela separava meus cabelos em mechas, passava Yamasterol, cujo cheiro eu amava e me foi familiar por décadas, penteava gentilmente cada mecha e só depois trançava. Desconfio que desfazia algumas, alegando que não tinham ficado boas, só para prolongar aqueles momentos.

Por ser "a neta de Santos", que não via com tanta frequência, eu sempre dormia com ela quando ficava na sua casa. Acordava com o cheiro do café e deparava com a mesa farta. "Come, você tá muito magra", minha avó dizia. E eu obedecia. Uma vez ela foi a uma excursão para Aparecida do Norte e me levou junto. Como ela já havia comprado o pacote antes da minha ida para sua casa, passei a viagem ora no chão do ônibus, encostada em seus pés, ora no seu colo. Não havia poltrona para mim, mas ela fizera questão de que eu fosse também. Minha avó sempre insistia para que meus tios me levassem para passear, comprassem doces, me mimassem, cortassem cana para eu mascar ou pegassem manga verde do pé, que ela preparava com sal.

Com vovó, toda a dor e qualquer sentimento de inadequação ou medo passavam. Parecia que lá, com ela, minha vida ganhava sentido. Eu tinha prazer em sentir o vento no rosto quando saía para empinar pipa na Escola Agrícola, ou enquanto aguardava ansiosamente seus atendimentos acabarem para ser benzida também. Era a única que podia mexer no rádio-relógio com telefone sem fio que uma das pessoas que atendia havia lhe dado. Se ia a Santos nos visitar, eu não queria sair de perto dela, e chorava quando ela ia embora, assim como chorava quando precisava voltar de Piracicaba. Sabia que não teria mais a minha Billie Holiday para me tirar daquela náusea que eu não sabia nomear.

Vó Antônia faleceu quando eu tinha treze anos. Ela fora picada por um barbeiro na infância, desenvolvera a doença de Chagas e vivera com um marca-passo boa parte da vida. Eu me recordo claramente do dia em que recebi a notícia de sua morte. Havia ganhado um par de patins do meu pai e brincava de me apresentar com um amigo. Ligaram de Piracicaba e deram a notícia. Meu irmão foi me contar. Fiquei paralisada, sem entender como lidar com aquela informação. Meu amigo disse, apressado: "Vamos, é sua vez de patinar". Acostumada a querer agradar as pessoas para que fossem minhas amigas, patinei, sem saber o que estava fazendo. Por um tempo, já adulta, quando me lembrava dessa cena, me culpava por julgar que não havia respeitado minha avó. Tempos depois me dei conta de que ela teria achado graça.

* * *

Em 1988, precisei insistir para fazer a leitura principal no Dia do Livro. A professora havia escolhido uma colega de classe branca de cabelo liso que não lia bem. Eu já lia com fluência, mas mesmo assim a professora relutou. Já estávamos bem perto do dia da apresentação e a outra menina ainda não evoluía nos ensaios, então a professora não teve opção a não ser me escolher. Me saí muito bem no evento e recebi elogios de professores e pais.

Mais de uma vez fui premiada por estar entre os melhores alunos da escola. No Anuário Escolar do Estado de São Paulo de 1990, com os nomes dos estudantes que tiraram melhores notas no ano, lá estava eu como aluna do Colégio Moderno dos Estivadores. Eu tinha dez anos na época. Meus pais e eu ficamos muito felizes. Ainda tenho a foto da minha mãe me entregando um livro de presente pelo meu desempenho. Apesar do orgulho visível em meus olhos, sentia uma força agindo sobre mim que muitas vezes me impedia de falar ou existir plenamente em alguns espaços.

Como passava muito tempo sozinha, eu fantasiava demais. Achava que, se ficasse na frente do prédio, um olheiro de passagem acabaria me chamando para ser modelo. Eu estamparia capas de revistas e meus colegas sentiriam inveja de mim. Às vezes eu me imaginava fora das situações cotidianas para não enfrentar a realidade. Esses momentos aliviavam a náusea, mas o sentimento de inadequação permanecia.

Estudei inglês na escola mais conhecida da cidade. Lembro que, quando cheguei para a minha primeira aula, as conversas animadas foram substituídas pelo silêncio assim que fui vista. Todos pararam para me olhar e comentar. Mas não perdi a pose. Segurei os livros bem junto de mim, ergui a cabeça e fingi que não havia nada acontecendo. Depois daquilo, comecei a chegar em cima da hora para a aula, em mais uma tentativa de não ser notada.

Os outros alunos passavam as férias na Disney ou em Paris. O mais longe que eu ia era Piracicaba ou Peruíbe, numa casa que meu pai construiu com amigos. Na volta às aulas, eles conversavam animados sobre tudo o que tinham visto, e eu ficava ouvindo com um sorriso no rosto, tentando agradar. Até que um dia um professor os obrigou a fazer perguntas sobre minhas férias também. Houve alguns momentos de hesitação e sorriso amarelo até que eles entendessem que minhas férias não eram nada interessantes.

Uma vez, um professor pediu que levássemos para a aula alguma coisa que havia sido comprada no exterior. Por sorte, a garota que tinha feito dupla comigo tinha uma amiga que viajava sempre. Fomos ao prédio dela, em frente à praia, buscar um porta-joias e algumas outras coisas. Viajar para fora do país era algo tão distante para mim — nem sequer havia andado de avião — que me recordo de ter ficado impressionada com a facilidade com que a garota explicava cada item. E me lembro perfeitamente da minha dupla se gabando por ter uma amiga viajada.

Algumas vezes, durante essas aulas, eu fantasiava que morava numa casa bonita, com uma cama só para mim no lugar do beliche que dividia com minha irmã. Eu ia às aulas de ônibus, porque meus pais não tinham carro, e ficava sonhando com o dia em que meu pai buzinaria para mim na porta da escola. Também imaginava que, a qualquer momento, minha mãe bateria na porta dizendo que eu havia esquecido o guarda-chuva ou qualquer outra coisa, como faziam as mães dos outros alunos, que não precisavam trabalhar o dia inteiro como a minha. O máximo que acontecia era uma funcionária bater na porta e me chamar para a sala da diretora para avisar que meu pai precisava quitar a mensalidade.

Antes desse lugar, eu tinha estudado em uma escola de idiomas mais modesta, e ainda assim era a única aluna negra. Havia um garoto que sempre me xingava, subindo as escadas atrás de mim proferindo insultos racistas. Eu odiava ir às aulas. Um dia, meu pai foi comigo fazer a rematrícula. Ele subiu antes de mim, porque passei no banheiro. Quando o garoto me viu, correu atrás de mim para recomeçar seu ritual macabro. Ri por dentro. Fui subindo vagarosamente as escadas, em vez de quase correr como sempre fazia para me livrar dele. Quando chegamos lá em cima, meu pai me aguardava na recepção. Assim que o avistou, o menino gelou. Contei ao meu pai o que o garoto fazia, e ele deu um escândalo. "Pago a mesma merda que o pai desse moleque, essa situação não pode se repetir." O garoto nunca mais teve coragem de me encarar, e durante as aulas fazia o possível para se mostrar agradável.

Apesar dessa história, eu preferia essa primeira escola por ser menor, o que fazia com que meus problemas também fossem. Quando fui estudar em outro lugar, minha capa de proteção precisou ficar mais grossa. Às vezes mentia sobre conhecer outras cidades e dizia que meu pai era advogado, e não um trabalhador braçal. Também falava que ele ia me buscar, mas que esperava na outra esquina com o carro porque não conseguia estacionar. Quando me viam no ponto de ônibus, eu alegava que ele estava trabalhando. O fato de ser a única menina negra da sala por anos numa escola de pessoas de outra classe social me fez agir assim.

Ser a CDF evitou que eu fosse xingada algumas vezes, mas nunca me protegeu de verdade. Descobri que podia fazer com que os outros alunos, que até então só riam de mim, *precisassem* de mim. Ajudava-os a estudar, fazia a lição por eles, passava cola. Vivia explicando para os outros as matérias que dominava bem. Então passei a dar aulas particulares de inglês e português para crianças mais novas e a receber por isso. Um dia, coloquei um anúncio no jornal e consegui um aluno de outra escola. Foi outra forma de fuga por um tempo, mas eu ainda não entendia o que me fazia sentir aquela sensação de gelo na barriga toda vez que passava por um grupo de meninos na rua ou uma professora me pedia para dar um recado na outra classe.

Meu pai, autodidata e militante comunista e do movimento negro, exigia que tirássemos boas notas e nos obrigava a ir à escola sem falta. Mas eu me perguntava se ele sabia o que acontecia lá. Se entendia quão difícil era aturar os xingamentos diários. Senti raiva dele muitas vezes, como quando dizia que eu devia ter orgulho das minhas raízes e me proibia de alisar o cabelo. "Isso porque não é no seu cabelo que eles escondem borrachas", eu pensava. "E orgulho de quê? De ser a neguinha feia do cabelo duro?" Eu não compreendia por que meu pai insistia em dizer que meu cabelo era lindo, em vez de simplesmente atenuar meu sofrimento permitindo que o alisasse. Eu chegava a colocar toalhas na cabeça quando estava em casa para simular fios mais longos. Com o tempo, ele cedeu, e minha mãe alisava meus cabelos e os da minha irmã em casa. Era um ritual de tortura, no qual ela acendia uma boca do fogão, deixava o pente de ferro ali até ficar pelando e passava nos fios. Aquilo era comum, mas inúmeras vezes o cabelo queimava: você sentia o cheiro e via os fios se desfazendo. Podia-se até queimar o couro cabeludo nos piores casos. A vontade de ser aceita nesse mundo de padrões eurocêntricos é tanta que você literalmente se machuca para não ser a neguinha do cabelo duro que ninguém quer.

Mais tarde, meu pai deixou de se opor a que minha mãe nos levasse para alisar o cabelo com chapinha. A cabeleireira passava henê (um produto capilar), depois o pente e a chapinha, que na época também se esquentava no fogo. A primeira vez que saí de lá chacoalhando meus cabelos para um lado e para o outro foi um grande momento de felicidade — assim como quando, depois de rodar a cidade, meu pai finalmente encontrou uma boneca negra para me dar de presente, já que as meninas do prédio implicavam comigo porque brincava de ser mãe de uma boneca branca (até hoje me lembro do cheiro dessa boneca, talvez o único brinquedo que não quebrei e que guardei por anos).

Com o passar do tempo, as técnicas de tortura foram mudando. A época das químicas relaxantes ou de alisamentos deve ter enriquecido muita gente. Passava-se um produto no cabelo mecha por mecha até cobrir tudo. Então se deixava um tempo para fazer efeito, o máximo que você conseguisse aguentar, porque ardia e queimava o couro cabeludo e parte da orelha, além de cheirar tão forte que fazia os olhos lacrimejarem. A ideia era de que quanto maior o tempo de ação, mais liso o cabelo ficava. Até hoje, lembro de ter me feito de desentendida no ônibus ou em qualquer espaço coletivo quando alguém reclamava do cheiro forte de química no ar.

Por mais que eu fizesse escova após os procedimentos, que com o passar dos anos foram se aperfeiçoando, meus cabelos nunca ficavam como eu fantasiava, como os da moça da capa de revista. Mesmo assim, era reconfortante ir à escola levando um pente para ficar deslizando pelos cabelos como as meninas brancas faziam. Até a magia sumir com a lavagem.

A sensação de não pertencimento era constante e me machucava, ainda que eu jamais comentasse a respeito. Até que um dia, num processo lento e doloroso, comecei a despertar para o entendimento. Compreendi que existia uma máscara calando não só minha voz, mas minha existência.

Depois de passar na faculdade de jornalismo, comecei a procurar um emprego. Apesar de falar inglês, ser medalhista de xadrez e ter recebido prêmios escolares, uma "amiga" da minha mãe me ofereceu uma vaga de auxiliar de serviços gerais na empresa de que era gerente para me "ajudar". Eu limpava e servia café, mesmo tendo currículo melhor do que os das moças que trabalhavam no escritório.

Minha mãe não queria que eu fizesse aquilo e perpetuasse o ciclo da exclusão, mas insisti. Chegava na faculdade cheirando a água sanitária, mas, numa época anterior a políticas afirmativas importantes — como as cotas raciais e o Prouni, por exemplo —, trabalhar para pagar a mensalidade era a única opção. Meu pai, que era estivador e estava perto de se aposentar, não soube do meu trabalho. Ele sempre dizia que se matava de trabalhar na estiva para que nós tivéssemos mais oportunidades, e eu não podia contar a ele que seu esforço, por mais digno que fosse, tinha sido barrado pela estrutura racista da sociedade.

Antes desse emprego, eu havia trabalhado numa barraca de pastel, o que fez com que ele ficasse meses sem falar comigo. Então decidi não deixá-lo saber que a máscara, a mesma que o fez perder muito, também me excluía das oportunidades. Apesar disso, a cada intervalo entre uma varrida e uma passada de pano no vaso sanitário, eu lia. Quando saía para almoçar, eu lia. Ia à praia contemplar o mar e, com o vaivém das ondas, lembrava os poemas "Mulher fenomenal" e "Ainda assim, eu me levanto", de Maya Angelou, que não me deixavam esmorecer:

> *Acima de um passado que está enraizado na dor*
> *Eu me levanto*
> *Eu sou um oceano negro, vasto e irrequieto*
> *Indo e vindo contra as marés, eu me levanto*
> *Deixando para trás noites de terror e medo*
> *Eu me levanto*
> *Em uma madrugada que é maravilhosamente clara*
> *Eu me levanto*
> *Trazendo os dons que meus ancestrais deram*

Eu sou o sonho e as esperanças dos escravizados
Eu me levanto
Eu me levanto
Eu me levanto!

"O chefe gosta muito do seu café, em time que se está ganhando não se mexe." Foi assim que a gerente me negou a oportunidade de mudar de cargo, e então resolvi que era hora de mudar o placar. Minha mãe havia falecido fazia pouco tempo e, em homenagem a ela, pedi demissão.

Enquanto cuidava do meu pai no hospital, que adoeceu logo depois da minha mãe, conheci a Casa de Cultura da Mulher Negra. Foi lá que tive a primeira oportunidade de um trabalho que valorizava minha formação, oferecida por mulheres negras feministas de fato.

Redescobri minha força. Trabalhei quase quatro anos na biblioteca da Casa de Cultura, onde entrei em contato com bell hooks, Carolina Maria de Jesus, Lima Barreto, Sueli Carneiro, Alice Walker, Toni Morrison. Fui aprendendo a falar por outras vozes, a me enxergar através de outras perspectivas.

Quando fiquei grávida, aos 24 anos, me libertei da tortura do alisamento, já que não podia usar química. Meus cabelos foram voltando ao natural e pude sentir novamente sua textura gostosa. Eu não queria mais me esconder, não queria ser invisível. As autoras e os autores que eu lia haviam me ajudado a recuperar o orgulho das minhas raízes. Reconfigurar o mundo a partir das perspectivas deles me ajudou a finalmente me sentir confortável nele. Foi um divisor de águas na minha vida.

Só então compreendi por que muitas vezes eu não me identificava com um feminismo dito universal: porque as especificidades das mulheres negras não eram consideradas. Aquelas autoras tinham denunciado a invisibilidade das mulheres negras como sujeito do feminismo. E outras se juntaram a elas. Grada Kilomba, pesquisadora e professora da Universidade de Humboldt, faz uma analogia interessante entre a máscara que as pessoas escravizadas eram obrigadas a usar cobrindo a boca e a afirmação do projeto colonial de impor silêncio, um silêncio visto como a negação de humanidade e de possibilidade de existir como sujeito. Com ela, aprendi que "a máscara não pode ser esquecida. Ela foi uma peça muito concreta, um instrumento real que se tornou parte do projeto colonial europeu por mais de trezentos anos". Mas, ainda que sejam caladas e negligenciadas, vozes se insurgem.

Com a escritora nigeriana Chimamanda Ngozi Adichie aprendi sobre os perigos da história única e sobre a importância de se pensar em estratégias para garantir histórias múltiplas:

> É impossível falar sobre história única sem falar sobre poder. Há uma palavra da língua igbo de que sempre me lembro quando penso nas estruturas de poder do mundo, e a palavra é *nkali*. Trata-se de uma expressão que pode ser traduzida como "maior do que o outro". Como o mundo econômico e o político, histórias também são definidas pelo princípio do *nkali*. A forma como são contadas, quem as conta, quando e quantas histórias são contadas, tudo depende do poder. Poder é a habilidade não só de contar a história de outra pessoa, mas de fazê-la a história definitiva daquela pessoa. O poeta palestino Mourid Barghouti escreve que o jeito mais simples de se destituir uma pessoa é contar sua história e colocá-la em segundo lugar. Uma história que tivesse início com as flechas dos nativos americanos, e não com a chegada dos britânicos, seria totalmente diferente. Uma história que começasse com o fracasso do Estado africano, e não com a criação colonial do Estado africano, seria totalmente diferente.

Com a teórica e ativista estadunidense bell hooks aprendi que mulheres negras e brancas compartilham a luta contra o sexismo. O pessoal não se sobrepõe ao político, mas é o ponto de partida para conectar politização e transformação da consciência, isto é, para ler criticamente a experiência de opressão das mulheres. Seu primeiro livro sobre feminismo, *Ain't I a Woman?*, de 1981, foi inspirado no famoso discurso homônimo da ex-escrava Sojourner Truth, proferido na Convenção dos Direitos das Mulheres em Ohio, em 1851.

Pensar a prática de mulheres negras me fez perceber o quanto isso era importante para restituir humanidades negadas. Tudo o que aprendi na luta política do dia a dia e nas organizações em que atuei foi essencial para meu crescimento e minha visão de mundo. Dar aulas em cursinho comunitário e trabalhar como voluntária em ações sociais me ensinou tanto quanto os textos que li na universidade.

Foi também com hooks que aprendi a entender o papel fundamental da mulher negra na teoria feminista ao questionar o patriarcado racista. Ela ainda me ensinou a diferença entre identidade vitimada e resistência militante, mostrando o quanto as mulheres negras vêm historicamente entendendo a necessidade de construir redes de solidariedade política em vez de se fixar numa narrativa imutável de não transcendência.

Outra coisa que me marcou muito foi a declaração que a escritora brasileira Conceição Evaristo me deu em entrevista à *CartaCapital* em 2017: "Nossa fala estilhaça a máscara do silêncio. Penso nos feminismos negros como sendo esse estilhaçar, romper, desestabilizar, falar pelos orifícios da máscara".

Por meio do meu trabalho na biblioteca e dos textos que escrevia para a revista da ONG, tive oportunidades únicas de identificar a máscara e me fortalecer para poder falar pelos orifícios dela. Não dá para lutar contra o que não se pode dar nome. Como no Brasil todos os documentos relacionados à escravidão foram queimados, não temos como saber de onde viemos, se da Nigéria ou de Guiné-Bissau. E, quando não se sabe de onde vem, é mais fácil ir para onde a máscara diz que é seu lugar. Conhecer minha história, a história dos meus antepassados, me possibilitou romper com a história única e identificar tudo aquilo de negativo que havia sido dito sobre pessoas como eu.

Ler *O olho mais azul*, de Toni Morrison, escritora estadunidense e prêmio Nobel de literatura, foi outra pequena revolução. "O amor nunca é melhor do que o amante. Quem é mau, ama com maldade, o violento ama com violência, o fraco ama com fraqueza, gente estúpida ama com estupidez e o amor de um homem livre nunca é seguro", ela diz. Foi graças a Morrison que percebi que, adoecida pelo racismo, eu precisava encontrar formas de me libertar para não amar de forma adoecida também. Entendi que o amor, por mais que me tivesse sido negado de várias formas, era um direito. E que viria a partir do momento em que eu tivesse coragem de olhar para dentro de mim com sinceridade para retirar o mal que fora colocado ali com tanto silenciamento.

A médica e ativista Jurema Werneck, uma das organizadoras de *O livro da saúde das mulheres negras*, um dos primeiros que li trabalhando na Casa de Cultura, não deve saber o quanto essa obra me fez perceber que precisava pedir ajuda. Em um dos artigos reunidos no livro, uma mulher relata sua experiência de dor e de como a terapia foi importante para ela. Eu tinha perdido mãe e pai em anos consecutivos havia pouco tempo, e ler aquele texto me ensinou que a construção da mulher negra como inerentemente forte era desumana. Somos fortes porque o Estado é omisso, porque precisamos enfrentar uma realidade violenta. Internalizar a guerreira, na verdade, pode ser mais uma forma de morrer. Reconhecer fragilidades, dores e saber pedir ajuda são formas de restituir as humanidades negadas. Nem subalternizada nem guerreira natural: humana. Aprendi que reconhecer as subjetividades faz parte de um processo importante de transformação.

Então julguei ter sido benéfico o afastamento dos meninos, porque aproveitei minha solidão lendo, fazendo caminhadas pela praia ou contemplando o mar, uma das minhas atividades favoritas. Ficar sozinha me fez olhar para mim e não aceitar minha realidade, principalmente depois de ler Morrison. Sempre existira uma busca para além daquilo que a vida me oferecia. Quando li Alice Walker, tive certeza de que merecia mais. A autora de *A cor púrpura* e *De amor e desespero: História de mulheres negras*, com suas narrativas tão contundentes, tornou-se uma fonte de inspiração ao escrever sobre mulheres que de algum modo transpuseram os ciclos de violência a que foram submetidas. Com ela, aprendi o significado de *sisterhood*, a irmandade entre mulheres, quando a personagem Shug enxerga a beleza e desperta o amor por Celie, cantando para ela "Miss Celie's Blues".

Foi nesse momento que desenvolvi uma relação muito forte com a música. Assisti a um documentário chamado *Cantando a liberdade*, no qual se retrata a influência da música sobre os ativistas do movimento pelos direitos civis como uma força encorajadora de luta. "A Change Is Gonna Come" na voz de Otis Redding, "Respect" na de Aretha Franklin, "The Greatest Love of All" na de Whitney Houston e "Conselho" na de Almir Guineto me salvaram muitas vezes, como afirmação metafísica da liberdade. O que aprendi com cantoras e cantores de blues e samba foi mais profícuo do que o que aprendi com muitos textos.

Também foi o feminismo negro que me ensinou a reconhecer diferentes saberes, a refutar uma epistemologia mestre, que pretende dar conta de todas as outras. O saber da minha avó, benzedeira, é um saber como qualquer outro. Até hoje sei que chá de boldo é infalível para curar ressaca e que álcool com arnica cicatriza picadas de mosquito. Valorizar o saber das ialorixás e dos babalorixás, das parteiras, dos povos originários é reconhecer outras cosmogonias e geografias da razão. Devemos pensar uma reconfiguração do mundo a partir de outros olhares, questionar o que foi criado a partir de uma linguagem eurocêntrica.

Fui iniciada no candomblé aos oito anos, e os saberes que me constituem também advêm de orixás. Logo depois da minha iniciação, precisei usar roupas brancas e turbantes na escola. Virei motivo de piada e fui constantemente chamada de "macumbeira", mas o pior foi quando um menino arrancou meu turbante na hora do recreio e todos viram minha cabeça raspada. Foi um momento constrangedor, que me fez negar minhas origens. Passei a odiar acompanhar minha mãe nas cerimônias e nos trabalhos na praia. Morria de vergonha de ser vista por algum conhecido. Fui induzida a não gostar daquilo. A máscara me afastou desses saberes durante anos, da mesma forma que me impediu de assumir meus cabelos. Só em 2013, após pouco mais de uma década distante do candomblé, já segura e despida dos medos colonizadores, regressei ao meu espaço do sagrado.

Há alguns anos houve uma campanha com o nome "Quem é de axé diz que é", reforçando que assumir-se "do axé" também é um ensinamento importante para quebrar estereótipos e difamações. Exu, por exemplo, que tantos temem, não é o demônio, mas o senhor dos caminhos. Não existe demônio no candomblé, trata-se de uma invenção cristã. Iemanjá é, na verdade, negra, como todos os orixás, já que se trata de uma religião criada por negros. Aprendemos que Oxum, antes de cuidar dos seus filhos, limpa suas joias. O candomblé ainda ensina que não há problema algum em ser sensual, quando não se é fixado nesse lugar. Que a criação das crianças não depende apenas do sacrifício da mãe, já que é preciso uma aldeia para fazê-lo, como diz o provérbio. Que os arquétipos trazidos pelos deuses e deusas dessa religião valorizam muitas qualidades que o mundo criado pelo colonizador demoniza. Que orixá não é santo em todos os sentidos, e que isso pode ser libertador, posto que não existe culpa, outra invenção cristã. Entender a cosmogonia africana e outras geografias da razão foi um instrumento de empoderamento para mim, assim como ler Patricia Hill Collins me fez enxergar a importância de tirar proveito do lugar de marginalidade que nos foi imposto. Isso é fundamental para entender que o "não lugar" de mulher negra pode ser doloroso mas também potente, pois permite enxergar a sociedade de um lugar social que faz com que tenhamos ou construamos ferramentas importantes de transcendência. Talvez aí eu tenha percebido a estratégia de ver a força da falta como mola propulsora de construção de pontes.

Alguns anos depois, passei na faculdade de filosofia na Universidade Federal de São Paulo, o que depois levaria a um mestrado em filosofia política. Não foi fácil — minha filha tinha três anos, eu morava em Santos e o campus em que o curso era ministrado ficava em Guarulhos. A barreira da vez foi o sexismo, porque muitas pessoas da minha família foram contra eu voltar a estudar sendo mãe. Lembro como foram difíceis os primeiros meses, quando pensei em desistir.

Saía correndo do trabalho em uma empresa portuária por volta das cinco e meia da tarde e fazia o trajeto de três horas até a universidade. Chegava muito atrasada ou já no intervalo, o que me fez entrar em desespero após algumas semanas: não havia a menor possibilidade de ir e voltar todos os dias de Santos. Então resolvi pedir demissão e seguir meu sonho. Por muito tempo não recebi o devido apoio do meu então companheiro, mas seguia em frente. Passava quatro dias por semana em Guarulhos e descia às quintas à noite para Santos. No segundo ano da faculdade, passei na prova do estado de São Paulo para lecionar filosofia no ensino médio e pude pagar minhas despesas com o curso. Ficar longe da minha filha não era fácil, mas, ainda que sentisse minha falta, me admirava. Nessa época, eu e alguns colegas fundamos o Mapô, núcleo interdisciplinar de estudos em raça, gênero e sexualidade da Unifesp. Também organizávamos debates sobre esses temas, já que eram poucos os professores que os abordavam nos cursos.

Graças a esse grupo, descobri a antropóloga Lélia Gonzalez, importante intelectual negra que foi professora da PUC-Rio. Sua coragem em refutar a epistemologia dominante me encorajou a estudar filósofas mulheres numa área tão masculinista. Lélia foi uma grande "demolidora" de máscaras no Brasil. Num artigo fundamental, "Racismo e sexismo na cultura brasileira", ela afirma que fomos tratadas como *infans*, aquelas por quem se fala, que não falam por si sós.

Criticando a ciência moderna como padrão exclusivo para a produção do conhecimento, Lélia via a hierarquização de saberes como produto da classificação racial da população, uma vez que o modelo valorizado como universal é branco. Ela denunciava o racismo epistêmico e a invisibilidade das produções acadêmicas de mulheres negras. Segundo Lélia, o racismo se constituiu "como a 'ciência' da superioridade eurocristã (branca e patriarcal), na medida em que se estruturava o *modelo ariano* de explicação". Sua crítica pode ser estendida às teorias feministas centradas na raça branca (branquitude).

Nos anos 1980, Lélia já identificava que as mulheres negras no espaço público em geral e no entretenimento e lazer, em particular no âmbito carnavalesco, eram vistas como mulatas. Essa figura que permeia o imaginário colonial e escravista brasileiro se constituiu no primeiro período republicano, quando floresceu o mito da "democracia racial", ou o racismo à brasileira.

A sexualização do corpo da mulher negra, sempre colocada como "quente", também era denunciada pela autora. No entanto, ela percebia que havia outra leitura do corpo negro feminino combinada a essa: a imagem da doméstica, assentada na mucama, a escravizada que trabalha no serviço da casa. Com base em estudiosas feministas, Lélia entremeou essas duas imagens, de mulher mulata e de mulher do cuidado. Com ela, pude entender o lugar de minha mãe, que fora empregada doméstica, e questioná-lo como um lugar de não escolha. Afinal, que escolha tinha uma mulher do interior de São Paulo que fora forçada àquele trabalho desde os nove anos? Só então pude entender por que minha mãe brigava tanto para que eu estudasse e quebrasse o ciclo de imposições.

Em junho de 1977, a historiadora negra Beatriz Nascimento ganhou notoriedade ao apresentar seu estudo sobre os quilombos na Quinzena do Negro da USP, um grande encontro de pesquisadores negros organizado por Eduardo de Oliveira e Oliveira para a promoção de discussões, reflexões e encaminhamentos. Com sua pesquisa, ela deu sentido à minha sensação de fortalecimento na Casa de Cultura da Mulher Negra e em todos os coletivos e organizações de que fiz parte, me ensinando a dimensão do coletivo como emancipação real.

Em "Enegrecer o feminismo: A situação da mulher negra na América Latina", Sueli Carneiro, fundadora do Geledés, Instituto da Mulher Negra, afirma que, ao falar de mulheres, devemos sempre nos perguntar de que mulheres estamos falando. Mulheres não são um bloco único — elas possuem pontos de partida diferentes. Sueli aponta a urgência de não universalizar essa categoria, sob o risco de manter na invisibilidade aquelas que combinam ou entrecruzam opressões. Ou seja, ela fala da importância de se dar nome e trazer à visibilidade para se restituir a humanidade.

A coragem de Sueli ao enfrentar o debate pela promoção da igualdade racial, mesmo com pessoas que se diziam do campo progressista, me inspirou a fazer o mesmo. A não ter medo de colocar o dedo na ferida quando necessário. A construir espaços sólidos e acolhedores para mulheres negras. A perceber que nunca se pode perder a perspectiva histórica, e que muitas abriram o caminho para que eu possa estar aqui hoje. A dimensão da coletividade foi fundamental para minha trajetória e minha luta política. Sueli Carneiro tanto abriu portas para meu estudo de filosofia quanto me forneceu bases epistemológicas para que confrontasse o eurocentrismo.

A repórter Monique Evelle tem uma frase que me marcou muito: "Nunca fui tímida, fui silenciada". Quando a ouvi pela primeira vez, entendi perfeitamente o que me aconteceu durante anos. Senti esse mesmo silêncio vindo das instituições quando comecei a estudar sobre mulheres.

Comecei a escrever para sites em 2013. Confesso que resisti no início, por receio da exposição. Até que conheci o Blogueiras Negras, portal que reúne artigos e textos de ativistas negras de diversas regiões do Brasil. Nesse espaço, me senti fortalecida para escrever a partir da perspectiva feminista negra. Em 2014, surgiu o convite para contribuir com o extinto blog Escritório Feminista, da *CartaCapital*, e em 2015 me tornei colunista do site. Sempre enxerguei esse espaço como essencial para a disputa de narrativas: meu objetivo, além de reagir a algumas questões do cotidiano, era dar visibilidade a autoras e obras ainda desconhecidas do grande público. Foi assustador no início. Ao mesmo tempo que algumas pessoas gostam, outras atacam, mas percebi que era um caminho sem volta.

Pensar novas epistemologias, discutir lugares sociais e romper com uma visão única não é imposição — é busca por coexistência. Ao quebrar a máscara, estamos atrás de novas formas de sociabilidade que não sejam pautadas pela opressão de um grupo sobre outro. Ao pensar o debate de raça, classe e gênero de modo indissociável, as feministas negras estão afirmando que não é possível lutar contra uma opressão e alimentar outra, porque a mesma estrutura seria reforçada. Quando discutimos identidades, estamos dizendo que o poder deslegitima umas em detrimento de outras. O debate, portanto, não é meramente identitário, mas envolve pensar como algumas identidades são aviltadas e ressignificar o conceito de humanidade, posto que pessoas negras em geral e mulheres negras especificamente não são tratadas como humanas. Uma vez que o conceito de humanidade contempla somente homens brancos, nossa luta é para pensar as bases de um novo marco civilizatório. É uma grande luta, que pretende ampliar o projeto democrático.

É imprescindível que se leia autoras negras, respeitando suas produções de conhecimento e se permitindo pensar o mundo por outras lentes e geografias da razão. É um convite para um mundo no qual diferenças não signifiquem desigualdades. Um mundo onde existam outras possibilidades de existência que não sejam marcadas pela violência do silenciamento e da negação. Queremos coexistir, de modo a construir novas bases sociais. No fim, nossa busca é pelo alargamento do conceito de humanidade. Ao perder o medo do feminismo negro, as pessoas privilegiadas perceberão que nossa luta é essencial e urgente, pois enquanto nós, mulheres negras, seguirmos sendo alvo de constantes ataques, a humanidade toda corre perigo.

"O verdadeiro humor dá um soco no fígado de quem oprime"[*]

Assim como houve pensadores como Sartre, que criticava a arte pela arte, propondo uma arte engajada, Henfil, grande cartunista brasileiro, foi adepto de um humor engajado politicamente, não o humor pelo humor. Como ele próprio definiu: "Procuro dar meu recado através do humor. Humor pelo humor é sofisticação, é frescura. E nessa eu não estou: meu negócio é pé na cara".

Visivelmente, o cartunista tinha uma posição de embate ao poder instituído. Não é o que vemos na grande mídia, salvo raras exceções. O que se vê é um humor rasteiro, legitimador de discursos e práticas opressores, que tenta se esconder por trás do riso. Sendo a sociedade racista, o humor será mais um espaço onde esses discursos são reproduzidos. Não há nada de neutro — ao contrário, há uma posição ideológica muito evidente de se continuar perpetuando as opressões.

[*] Publicado originalmente no blog da *CartaCapital* em 11 de julho de 2014.

Alguns humoristas, quando criticados, dizem estar sendo censurados. É preciso explicar para eles o que é censura. Primeiro, dizem e fazem coisas preconceituosas. Quem se sentiu ofendido, reclama. Onde está a censura nisso? Incomodam-se pelo fato de, cada vez mais, as pessoas denunciarem e gritarem ao ver suas identidades e subjetividades aviltadas; é como se dissessem "nem se pode mais ser racista e machista em paz".

Atualmente, pululam humoristas com esse viés. Eles acreditam ter uma espécie de poder divino de falar o que querem sem ser responsabilizados. Comportam-se como semideuses: Danilo Gentili chamou de macaco um moço que discordou dele. Marcelo Marrom, infelizmente, é um homem negro que faz piadas vergonhosas ridicularizando a si mesmo e a outras pessoas negras. Age como uma espécie de neocapitão do mato, tentando caçar a dignidade e a autoestima que há anos lutamos para ter. Capitão do mato do humor para entreter a casa-grande. Que a ancestralidade tenha misericórdia dele.

Durante muito tempo, tive receio de passar perto de grupos de adolescentes. Quando criança, fui alvo de piadas e chacotas por ser negra. Era inevitável ouvir alguma gracinha do tipo: "Olha sua mina aí, não vai me apresentar?", ao que o garoto que era "alvo" se defendia: "Sai fora!". Ter uma namorada como eu era algo impensável.

A pretensão criada neles, fruto de um sistema que os privilegia, os cegava para o fato de que *eu* poderia não os querer. Para eles, eu era só uma "neguinha", alguém que merecia ser ridicularizada e deixada de lado. Esse receio me acompanhou até o início da fase adulta. Eu preferia atravessar a rua a ter que ouvir essas coisas, porque machucavam. E o que as pessoas me diziam? "Deixa pra lá, é só uma brincadeira." Toda a sociedade concordava com aqueles meninos: eu não me via na TV, nas revistas, nos livros didáticos, em minhas professoras.

Um dia, quando levava minha filha à escola, um grupo de adolescentes começou a rir dela, que usava uma flor no cabelo solto. Minha filha nem percebeu, mas eu me aproximei deles e disse calmamente: "Estão rindo do quê? O cabelo dela é lindo. Se eu voltar e vocês estiverem aqui, vou pegar um por um". Claro que não faria nada daquilo, só queria assustá-los (e consegui!), mas ouvi críticas do tipo: "Ah, eram só adolescentes brincando". E eu me pergunto: quem se compadece da menina negra que terá sua autoestima aviltada, que desde cedo é ridicularizada?

Por que se tem compreensão com quem está oprimindo e não com quem está sendo oprimido? A menina negra é que precisa entender que isso é "brincadeira" ou quem faz a "brincadeira" que deve perceber que aquilo é racismo? Até quando utilizarão o humor como desculpa para comentários racistas? Quem olhará pela menina negra que odiará seu cabelo por causa das piadas? Quem lucrará a gente já sabe.

Há também aquela conversa de que devemos rir de nós mesmos, de nossos defeitos. Rir de si quando se é distraído ou desastrado é uma coisa, mas por que raios eu deveria rir da minha pele ou do meu cabelo, como se fosse um defeito, em vez de partes lindas que me compõem? Por acaso ser negra é defeito? No olhar do racista, é. Então, para ser aceita por ele, eu preciso rir daquilo que o incomoda, associar meu cabelo a produtos de limpeza, por exemplo. Mal passa pela cabeça dele associar seu cabelo liso a espaguete. Esse exemplo mostra como o racismo tem um papel preponderante naquilo que as pessoas julgarão engraçado e naquilo que não julgarão. Como acontece com os negros, julga-se engraçado ridicularizar pessoas trans, como se a humilhação diária e a recusa à cidadania já não fossem suficientes.

É preciso perceber que o humor não é isento, carregando consigo o discurso do racismo, do machismo, da homofobia, da lesbofobia, da transfobia. Diante de tantos humoristas reprodutores de opressão, legitimadores da ordem, fico com a definição do brilhante Henfil: "O humor que vale para mim é aquele que dá um soco no fígado de quem oprime".

Quando opiniões também matam*

No Brasil, muitos comentaristas de TV e articulistas de jornal exercem uma categoria quase profissional que poderíamos chamar de "especialista em opinião". Sua função consiste em dar pitacos sobre os mais variados temas, mesmo que não tenha a mínima ideia do que seja. Para fazer uma crítica pertinente a algo, seria necessário conhecer bem seu objeto de crítica, certo? É claro que ninguém tem obrigação de saber de nada, mas quando alguém se propõe a falar sobre um assunto, deveria saber o mínimo a respeito, ou ter a humildade de reconhecer que precisa aprender. Não há problema nenhum nisso, já que estamos em constante aprendizado. Porém, o especialista em opinião não se importa: o que ele deseja é mostrar uma pretensa postura revoltada e impositiva.

Nós, feministas e militantes da luta antirracista, frequentemente deparamos com esses "profissionais". É só falar das desigualdades existentes, da violência às quais as mulheres e a popu-

---

* Publicado originalmente no blog da *CartaCapital* em 31 de julho de 2014.

lação negra estão submetidas, para enfrentar opiniões totalmente infundadas. Pesquisas e estudos são feitos para mostrar o mapa da violência no Brasil, mas a pessoa simplesmente diz que não é bem assim e pronto. Talvez porque não veja. Mas ela nem sequer cogita a possibilidade de ser míope. E quando ainda pacientemente argumentamos, mostramos dados, ela parte para a grosseria. Somos chamadas de feminazis, coitadistas, vitimistas. Tudo isso apenas por falar sobre fatos sociais.

Geralmente, quando alguém vem com "achismo", eu pergunto: "Baseado em que você fala isso? Qual é sua fonte?". Na maioria das vezes, a resposta é: "Eu acho que é assim, é minha opinião". Minha vontade é responder: "Meu amor, posso achar que sou a Alice Walker e escrevi *A cor púrpura*, mas isso não muda o fato de que não sou".

A pessoa achar que não existe racismo no Brasil não muda o fato de que, em 2013, negros ganharam 54,7% do salário de brancos, segundo pesquisa do IBGE. Não muda o fato de que o assassinato de jovens negros no Brasil é 2,5 vezes maior que o de jovens brancos, segundo o Mapa da Violência de 2012. Ou de a maioria da população negra ser pobre por conta do legado da escravatura. De as mulheres negras ainda serem a maioria das empregadas domésticas e estarem na base da pirâmide social.

A pessoa achar que machismo não existe não muda o fato de que a cada cinco minutos uma mulher é agredida no Brasil segundo o mesmo Mapa da Violência. São mulheres sendo mortas pelo simples fato de serem mulheres. Ser crítico é uma coisa, desonestidade intelectual é outra, e é absolutamente impossível debater com inverdades. Além de mostrar um claro desrespeito com quem pesquisa, milita e vivencia as opressões na pele.

Como alguém pode querer legitimidade para falar sobre o que ignora? Negar fatos sociais para impor uma opinião é um problema sério de megalomania. Em alguns casos, é síndrome de privilegiado. O que mais me assusta é a pessoa nem sequer se importar se sua opinião tem relação com a realidade ou se é disseminadora de preconceito. Como vi num meme outro dia: sua opinião não muda os fatos, mas os fatos deveriam mudar sua opinião. Porém, mais preocupante do que todo "achismo" é a perpetuação das violências que ele acarreta. Não há problema algum em achar que espaguete é mais gostoso do que nhoque, gostar mais de sorvete de morango do que de chocolate, ou haver estilos e personalidades diferentes. Pessoas são diversas, e isso é muito bom. Agora, quando o tema é justiça social, direitos de sujeitos, achar alguma coisa sem base alguma é, no mínimo, leviano. São de vidas de pessoas que estamos falando, e não de preferências gastronômicas.

Continuar no achismo apesar da desigualdade latente sendo mostrada é concordar com essa desigualdade. Negar a existência de fatos sociais e ridicularizar lutas históricas por equidade não é dar opinião, é compactuar com a violência. Fora isso, ainda há os que confundem liberdade de expressão com discurso de ódio. Um indivíduo dizer "Sou da opinião de que negros e gays são inferiores" não é ponto de vista diferente.

Querer se valer do discurso da liberdade de expressão para destilar racismo, machismo, transfobia ou se esconder por trás do argumento "É minha opinião" é criminoso. Racismo é racismo, machismo é machismo, mesmo que venha na forma de opinião. E devem ser combatidos.

Chamar feministas de "feminazi", além de demonstrar uma clara ignorância histórica, corrobora com o sistema machista. Uma pessoa que conhecesse minimamente o feminismo jamais diria tal coisa. É mais fácil xingar a colega do que admitir que se beneficia do sistema corrente. Reconhecer o privilégio de ser homem implica mudança de atitude e de comportamento, e sabemos que muitos nem sequer cogitam essa possibilidade. Invocar o conceito de igualdade abstrata quando, concretamente, é a desigualdade que se verifica é se omitir da responsabilidade de lutar por uma sociedade mais justa.

Ainda há os que apelam para o "argumento" da inveja. Para eles, ativistas são pessoas rancorosas que falam muito — como se reivindicar direitos que os grupos privilegiados sempre tiveram fosse igual a não ter a sagacidade de Audre Lorde (isso sim, eu invejo), poeta e estudiosa feminista negra que escreveu trabalhos importantes como "As ferramentas do mestre não vão desmantelar a casa-grande" e "Os usos da raiva: Mulheres negras respondendo ao racismo", entre outros. Colocar problemas sociais nesse âmbito mostra como os especialistas em opinião ignoram por completo o que se propõem a opinar. Julgar que a luta por equidade é inveja ou mágoa me faz sentir muita vergonha alheia.

Pessoas que lutam contra as desigualdades não se fazem de vítimas: *são* vítimas de um sistema perverso e, ao mesmo tempo, sujeitos de ação, porque o denunciam e lutam para mudá-lo.

Há também quem afirme que ativistas são muito agressivos (ignorando a realidade agressiva em que vivemos) e que o pensamento positivo e uma postura "mais amor" resolvem todos os problemas. Isso resulta numa bolha de otimismo que dá medo, porque vai que pega. Ter uma postura positiva diante da vida é importante, não nego, mas julgar que problemas sociais históricos se resolvem dessa forma beira a loucura. Será que Amarildo, o ajudante de pedreiro desaparecido após ter sido detido pela PM, não pensou positivo o suficiente? Será que o mesmo ocorreu com Cláudia Ferreira da Silva, que foi morta pela mesma PM no Morro da Congonha, na Zona Norte do Rio, e teve o corpo colocado no porta-malas da viatura, que abriu enquanto dirigiam, de modo que ela acabou arrastada pelas ruas? Por favor, me poupem.

Como feministas negras, temos que lutar contra o achismo também. Opiniões vazias sobre questões tão sérias, por si só, podem não matar, mas com certeza ajudam a apertar o gatilho ou a pular o cadáver no chão.

Seja racista e ganhe fama e empatia[*]

Costumo dizer que o Brasil é o país da piada pronta sem graça. Patrícia Moreira, a moça flagrada pela câmera ofendendo o goleiro Aranha no jogo entre Santos e Grêmio, ganha um enorme espaço na mídia, que quer transformá-la em vítima. Quando neste país programas de TV e jornais deram espaço para alguém se defender e tentar justificar seu crime?

Quem ficou com pena e deu espaço a Angélica Aparecida Souza, que em 16 de novembro de 2005 foi presa por roubar um pote de margarina? Quem fez moção de apoio a ela; quantas apresentadoras a levaram aos seus programas? Angélica passou 128 dias na cadeia de Pinheiros e por quatro vezes teve o pedido de liberdade provisória negado. Foi condenada a quatro anos de prisão em regime semiaberto por roubar um pote de margarina porque não aguentava mais ver seu filho, então com dois anos, passar necessidade.

---

[*] Publicado originalmente no blog da *CartaCapital* em 19 de setembro de 2014.

Cláudia Ferreira, a mulher morta e arrastada pela PM carioca, nas manchetes dos jornais virou "a arrastada". Nem nome ou sobrenome davam a ela, ao contrário do que fazem com Patrícia. Quem criou página de apoio nas redes sociais para a família de Cláudia? Quem ofereceu emprego ao viúvo ou se ofereceu para ajudar os quatro filhos e os quatro sobrinhos que ela criava?

Percebe-se que, no Brasil, crimes contra a propriedade, como no caso de Angélica, são mais importantes e causam mais comoção do que crimes contra a humanidade, como no caso de Aranha. Chamar alguém de macaco é animalizar um ser humano, retirar sua humanidade. Cadê a empatia com ele? Patrícia Moreira agora diz que quer se tornar um símbolo contra o racismo. Como uma mulher que até agora não se desculpou por ter sido racista quer ser símbolo dessa luta?

Agora ela pretende trabalhar para a ONG da Central Única de Favelas (Cufa). Piada pronta sem graça. Várias militantes negras com vivência do que é sentir racismo e com acúmulo teórico sobre a questão estão aí desempregadas, e uma pessoa que não assume seu racismo recebe a vaga de mão beijada. Destaco que sou contra o apedrejamento da casa dela e os xingamentos machistas proferidos contra sua pessoa. Mas sou totalmente a favor de que ela pague pelo que fez.

Miguel Falabella criou uma série em que mulheres negras são tratadas como objetos sexuais e quer ganhar prêmio de senhor do ano. Só o nome, *Sexo e as negas*, já é problemático. Mulheres negras historicamente são tratadas com desumanidade, e nossos corpos, como meras mercadorias. Quantas apresentadoras negras há na TV? Quantas atrizes? Quantas jornalistas? Não precisa ser um grande estudioso das questões raciais no Brasil para perceber o quanto as mulheres negras são invisíveis aos olhos da mídia.

Só nos colocam nos mesmos papéis estereotipados, e temos que agradecer a boa vontade. Para piorar, Falabella se compara a Spike Lee ao dizer que o cineasta também fala de sua realidade. Bom, Lee é negro e fala com conhecimento de causa. O que Falabella, um homem branco e rico, sabe da realidade das mulheres negras no Brasil? Outra piada pronta sem graça.

Dizer que as militantes que apontaram o racismo da série são capitãs do mato é se utilizar de seus privilégios para nos calar. Ninguém atacou as atrizes da série, e sim seu diretor, que se acha benevolente por empregar negras. Alguns senhores de escravos também se achavam bonzinhos por não castigar seus escravos. Queremos outros referenciais, não podemos mais aceitar que a mídia nos reduza a essas possibilidades.

Ideias racistas devem ser combatidas, e não relativizadas e entendidas como mera opinião, ideologia, imaginário, arte, ponto de vista diferente, divergência teórica. Ideias racistas devem ser reprimidas, e não elogiadas e justificadas. Não adianta dizer que HOJE tudo é racismo, mostrando uma explícita ignorância histórica. Este país foi fundado no racismo, não tem nada de novo nisso. A mídia brasileira nem de longe reflete a diversidade do seu povo. E, para perceber isso, basta ligar a televisão ou folhear uma revista.

Algumas pessoas pensam que ser racista é somente matar, destratar com gravidade uma pessoa negra. Racismo é um sistema de opressão que visa negar direitos a um grupo, que cria uma ideologia de opressão a ele. Portanto, fingir-se de bom moço e não ouvir o que as mulheres negras estão dizendo para corroborar com o lugar que o racismo e o machismo criaram para a mulher negra é ser racista.

Não vamos nos calar diante desses absurdos, de um país onde vítimas viram algozes. Onde diretor de minissérie racista se faz de vítima e quer ganhar medalha por empregar negras. Não nos esqueçamos de que muitas famílias se julgam benevolentes por dar emprego a babás negras. Quem se compadece dos milhares de negros que morrem todos os anos? Das crianças que crescem ouvindo insultos racistas? E o pior é ouvir que todo mundo faz isso, como se o fato de não se tornar público os ausentasse de culpa. Pois é, antigamente as pessoas morriam de tuberculose. A quem serve esse discurso nostálgico? Antigamente era melhor para quem?

Não vamos nos calar. Como diz Maya Angelou no poema "Ainda assim, eu me levanto": "Pode me atirar palavras afiadas,/ Dilacerar-me com seu olhar,/ Você pode me matar em nome do ódio,/ Mas, ainda assim, como o ar, eu vou me levantar". E temos dito.

Falar em racismo reverso é como acreditar em unicórnios*

Em quase todas as discussões sobre racismo aparece alguém para dizer que já sofreu esse tipo de preconceito por ser branco ou que isso aconteceu com um amigo. Este texto é para essas pessoas.

Não existe racismo de negros contra brancos ou, como gostam de chamar, o tão famigerado racismo reverso. Primeiro, é necessário se ater aos conceitos. Racismo é um sistema de opressão e, para haver racismo, deve haver relações de poder. Negros não possuem poder institucional para ser racistas. A população negra sofre um histórico de opressão e violência que a exclui.

Para haver racismo reverso, precisaria ter existido navios branqueiros, escravização por mais de trezentos anos da população branca, negação de direitos a ela. Brancos são mortos por serem brancos? São seguidos por seguranças em lojas? Qual é a cor da maioria dos atores e apresentadores de TV? Dos diretores de novelas? Da maioria dos universitários? Quem detém os meios

---

* Publicado originalmente no blog da *CartaCapital* em 5 de novembro de 2014.

de produção? Há uma hegemonia branca criada pelo racismo que confere privilégios sociais a um grupo em detrimento de outro.

Em agosto de 2014, Danilo Gentili quis comparar o fato de ser chamado de palmito com o fato de um negro ser chamado de carvão. Ele disse ser vítima de racismo, mostrando o quanto ignora o conceito. Ser chamado de palmito pode até ser chato e de mau gosto, mas não é racismo. A estética branca não é estigmatizada. Ao contrário: é colocada como bela, como padrão. Um branco que cresceu num país onde pessoas como ele estão em maioria na mídia desde sempre teve representatividade. Ele não é discriminado por isso. Que poder tem uma pessoa negra de influenciar a vida dele ao chamá-lo de palmito? Nenhum.

Já um jovem negro pode ser morto por sua cor. Posso não ser contratada por uma empresa porque sou negra, ter mais dificuldades de acesso à universidade por isso. Crianças negras crescem sem autoestima porque não se veem na TV ou nos livros didáticos. Isso sim tem poder de influenciar minha vida. Racismo vai além de ofensas, é um sistema que nos nega direitos.

O discurso de falsa simetria só mostra que algumas pessoas precisam estudar mais. Não se pode comparar situações radicalmente diferentes. Há que se fazer a diferenciação aqui entre sofrimento e opressão. Sofrer, todos sofrem, faz parte da condição humana, mas opressão é quando um grupo detém privilégios em detrimento de outro. Ser chamado de palmito não impede que a pessoa desfrute de um lugar privilegiado na sociedade, não causa sofrimento social.

O mesmo raciocínio se aplica às loiras que são vítimas de piadas de mau gosto ao serem associadas à burrice. É óbvio que se trata de preconceito dizer que loiras são burras, e isso deve ser combatido. Mas não existe uma ideologia de ódio em relação às mulheres loiras: elas não deixam de ser a maioria das apresentadoras de TV, das estrelas de cinema, das capas de revistas. Não são barradas em estabelecimentos por serem brancas e loiras. Sofrem com a opressão machista, sim, mas não são discriminadas por serem brancas, porque o grupo racial a que fazem parte é o grupo que está no poder.

Quando pequena, eu e meus irmãos não pudemos entrar na festa de uma amiga porque o tio dela não gostava de negros. Ela nos serviu na calçada da casa dela, até que, indignados, fomos embora. Alguma pessoa branca já passou por isso exclusivamente por ser branca?

O que pode ocorrer muitas vezes é que, como um modo de defesa, algumas pessoas negras, cansadas de sofrer racismo, rejeitam de modo direto a branquitude. Trata-se de uma reação à opressão, que tampouco configura racismo. Posso fazer uma careta e chamar alguém de branquela. A pessoa fica triste, mas que poder social minha atitude tem? Agora, ser xingada por ser negra é mais um elemento do racismo instituído que, além de me ofender, me nega espaço e limita minhas escolhas. Vestir nossa pele e ter empatia por nossas dores a maioria não quer. Melhor se fingir de vítima numa situação em que se é o algoz. Esse discursinho barato de "brancofobia" faz Dandara se remexer no túmulo.

Não se pode confundir racismo com preconceito e má educação. É errado xingar alguém, mas para haver racismo deve haver relação de poder, e a população negra não está no poder. Acreditar em racismo reverso é mais um modo de mascarar o racismo perverso com que vivemos. É a mesma coisa que acreditar em unicórnios, com o diferencial de que se está causando mal e perpetuando a desigualdade.

P.S.: Não deixe de procurar na internet um vídeo do humorista estadunidense Aamer Rahman falando sobre racismo reverso.

As diversas ondas do feminismo acadêmico[*]

De forma geral, pode-se dizer que o objetivo do feminismo é uma sociedade sem hierarquia de gênero — o gênero não sendo utilizado para conceder privilégios ou legitimar opressão. Ou como disse Amelinha Teles na introdução de *Breve história do feminismo no Brasil*:

> falar da mulher, em termos de aspiração e projeto, rebeldia e constante busca de transformação, falar de tudo o que envolva a condição feminina, não é só uma vontade de ver essa mulher reabilitada nos planos econômico, social e cultural. É mais do que isso. É assumir a postura incômoda de se indignar com o fenômeno histórico em que metade da humanidade se viu milenarmente excluída nas diferentes sociedades no decorrer dos tempos.

[*] Publicado originalmente no blog da *CartaCapital* em 25 de novembro de 2014.

No Brasil, o movimento feminista teve início no século xix com o que chamamos de primeira onda. Nela, que tem como grande nome Nísia Floresta, as reivindicações eram voltadas a assuntos como o direito ao voto e à vida pública. Assim, em 1922 nasceu a Federação Brasileira pelo Progresso Feminino, que tinha como objetivo lutar pelo sufrágio feminino e pelo direito ao trabalho sem necessidade de autorização do marido.

A segunda onda teve início nos anos 1970, num momento de crise da democracia. Além de lutar pela valorização do trabalho da mulher, pelo direito ao prazer e contra a violência sexual, essa segunda geração combateu a ditadura militar. O primeiro grupo de que se tem notícia foi formado em 1972, sobretudo por professoras universitárias. Em 1975, formou-se o Movimento Feminino pela Anistia. No mesmo ano, surgiu o jornal *Brasil Mulher*, que circulou até 1980, editado primeiramente no Paraná e depois transferido para a capital paulista.

Desde a década de 1970, militantes negras estadunidenses como Beverly Fisher denunciavam a invisibilidade das mulheres negras dentro da pauta de reivindicação do movimento. No Brasil, o feminismo negro começou a ganhar força no fim da mesma década e no começo da seguinte, lutando para que as mulheres negras fossem sujeitos políticos.

Na terceira onda, que teve início da década de 1990 e foi alavancada por Judith Butler, começou-se a discutir os paradigmas estabelecidos nos períodos anteriores, colocando-se em discussão a micropolítica. As críticas de algumas dessas feministas vêm no sentido de mostrar que o discurso universal é excludente, porque as mulheres são oprimidas de modos diferentes, tornando necessário discutir gênero com recorte de classe e raça, levando em conta as especificidades de cada uma. A universalização da categoria "mulheres" tendo em vista a representação política foi feita tendo como base a mulher branca de classe média — trabalhar fora sem a autorização do marido, por exemplo, jamais foi uma reivindicação das mulheres negras ou pobres. Além disso, essa onda propõe a desconstrução das teorias feministas e das representações que pensam a categoria de gênero de modo binário, ou seja, masculino/feminino.

Simone de Beauvoir já havia desnaturalizado o ser mulher, em 1949, com *O segundo sexo*. Ao dizer que "Ninguém nasce mulher, torna-se mulher", a filósofa francesa distingue a construção do "gênero" e o "sexo dado", e mostra que não é possível atribuir às mulheres certos valores e comportamentos sociais como biologicamente determinados. A divisão sexo/gênero funcionaria como uma espécie de base que funda a política feminista partindo da ideia de que o sexo é natural e o gênero é socialmente construído e imposto, assumindo assim um aspecto de opressão. Essa base fundacional dual foi o ponto de partida para que Butler questionasse o conceito de mulheres como sujeito do feminismo, realizando assim uma crítica radical ao modelo binário e empreendendo uma tentativa de desnaturalizar o gênero.

Pode-se dizer que *Problemas de gênero*, de Butler, é um dos grandes marcos teóricos dessa terceira onda, assim como *O segundo sexo* foi da segunda. Segundo Sandra Harding, "as pesquisas acadêmicas voltadas às questões feministas esforçaram-se inicialmente em estender e reinterpretar as categorias de diversos discursos teóricos de modo a tornar as atividades e relações sociais das mulheres analiticamente visíveis no âmbito das diferentes tradições intelectuais". Além disso, seu início foi ainda marcado pelo compromisso acadêmico direcionado à causa da emancipação das mulheres.

É importante ressaltar que não existe apenas um enfoque feminista: há diversidade quanto às posições ideológicas, abordagens e perspectivas adotadas, assim como há grupos diversos, com posturas e ações diferentes. Note-se que não fiz uma distinção entre o que seria teoria feminista — os estudos acadêmicos voltados às questões da mulher —, e o movimento feminista na prática. Isso porque corroboro com a visão de Patricia Hill Collins de que a teoria é a prática pessoal. Uma deve existir para interagir dialeticamente com a outra, em vez de serem dicotomias estéreis. A teoria ajuda na prática, e vice-versa.

A relação entre política e representação é uma das mais importantes no que diz respeito à garantia de direitos para as mulheres, e é justamente por isso que é necessário rever e questionar quem são esses sujeitos que o feminismo estaria representando. Se a universalização da categoria "mulheres" não for combatida, o feminismo continuará deixando muitas delas de fora e alimentando assim as estruturas de poder.

Não incluir, por exemplo, mulheres trans com a justificativa de que elas não são mulheres reforça aquilo que o movimento tanto combate e que Beauvoir refutou tão brilhantemente em 1949: a biologização da mulher, ou a criação de um destino biológico. Se não se nasce mulher, se ser mulher é um construto, se o gênero é performance (em termos butlerianos), não faz sentido a exclusão das trans como sujeitos do feminismo. O movimento feminista precisa ser interseccional, dar voz e representação às especificidades existentes no ser mulher. Se o objetivo é a luta por uma sociedade sem hierarquia de gênero, existindo mulheres que, para além da opressão de gênero, sofrem outras opressões, como racismo, lesbofobia, transmisoginia, torna-se urgente incluir e pensar as intersecções como prioridade de ação, e não mais como assuntos secundários.

Mulher negra não é fantasia de Carnaval*

Em época de Carnaval é muito comum ver pessoas se "fantasiando" de negras, pintando o rosto de preto, colocando peruca afro, passando batom vermelho de forma esdrúxula com a intenção de aumentar os lábios.

Para entender quão ofensivo isso é, se faz necessário compreender o contexto e a história do blackface. De acordo com o site History of Blackface, a prática começou quando homens brancos se caracterizavam de homens negros escravos ou livres durante a era dos shows dos menestréis (1830-90). Essas caricaturas se tornaram fixas no imaginário americano, reforçando estereótipos. Comediantes faziam sucesso apresentando para um público formado por aristocratas brancos personagens estereotipados de pessoas negras com o intuito de ridicularizá-las. Além de pintar o rosto de preto, eles pintavam exageradamente a boca de vermelho para chegar a uma "representação ideal" do que julgavam ser o negro.

---

* Publicado originalmente no blog da *CartaCapital* em 2 de fevereiro de 2015.

Essa prática ganhou espaço no cinema no início do século xx. Como exemplo, temos o filme *O nascimento de uma nação*, de Griffith. O primeiro filme falado da história, *O cantor de jazz*, de 1927, também se utilizou dessa prática para que o ator branco Al Johnson interpretasse um jovem cantor negro de jazz.

Como nos ensina Charô Nunes no texto "Blackface? Yes We Can!", a prática serve tanto como estereótipo racista quanto como forma de exclusão. Se, no primeiro caso, ridiculariza, no segundo, não dá oportunidades para atores e modelos negros. Afinal, por que raios uma pessoa precisaria se pintar de negro se existem profissionais negros? E eu acrescentaria: o que a mídia brasileira faz, de modo geral, é um "avanço" disso. Para papéis bem específicos, até se contratam atores negros, mas para reforçar estereótipos e estigmas. A mulher negra ainda é a gostosa do samba ou a empregada; e o homem negro, o malandro ou ladrão.

Se pintar de negro não tem graça alguma, é ofensivo. Essas pessoas esquecem também que, assim como pessoas de outras etnias, somos altos, baixos, gordos, magros, com lábios grossos ou finos, tão diversos quanto quaisquer seres humanos. Há algum tempo, a comediante Kéfera Buchmann gravou um vídeo chamado "Tá liberado, é Carnaval!" em que aparece pintada de preto, com uma peruca black power, dançando de forma ridícula e caricata. Ou seja, se utilizando da versão brasileira do blackface, a "nega maluca". A humorista ultrapassa todos os limites do bom senso e do respeito ao retratar mulheres negras de forma tão ultrajante. Nunca vi uma mulher negra se comportar do modo como ela a retrata.

Já disse isso e repito: o humor não está isento da ideologia racista. Isso é engraçado para quem? Falta criatividade, então se apela às mulheres negras para fazer graça? Não precisamos desse tipo de "homenagem" nem o queremos. É hora de ter consciência do racismo no país e lutar para combatê-lo. Alguém faria piada sobre os horrores de Auschwitz? Não, seria um completo absurdo e desrespeito. Mas acham graça fazer piada sobre a escravidão, com mecanismos racistas criados para nos oprimir.

Uma mulher negra com cabelo crespo comumente ouve piadas e é discriminada. No Carnaval, a mesma pessoa que nos ridiculariza quer vestir nossa "fantasia" para seguir nos ridicularizando. Recentemente participei de um programa da Al Jazeera English sobre racismo no Brasil com Nênis Vieira, do Blogueiras Negras, e Daniela Gomes, do AfroAtitude. Fiquei muito feliz por poder falar de forma aberta e franca sobre essa chaga que nos aflige. Sonho com o dia em que a mídia brasileira pare de tratar o assunto com descaso e julgue que vale tudo para o riso. Não somos fantasias de Carnaval — não podemos ser ridicularizadas ou tratadas como meros corpos que sambam e rebolam. Respeitem nossa humanidade.

Quem tem medo do feminismo negro?*

O feminismo negro começou a ganhar força a partir da segunda onda do feminismo, entre 1960 e 1980, por conta da fundação da National Black Feminist, nos Estados Unidos, em 1973, e porque feministas negras passaram a escrever sobre o tema, criando uma literatura feminista negra. Porém, gosto de dizer que, bem antes disso, mulheres negras já desafiavam o sujeito mulher determinado pelo feminismo.

Em 1851, Sojourner Truth, ex-escrava que se tornou oradora, fez seu famoso discurso intitulado "E não sou eu uma mulher?" na Convenção dos Direitos das Mulheres em Ohio, em que dizia:

> Aquele homem ali diz que é preciso ajudar as mulheres a subir numa carruagem, é preciso carregá-las quando atravessam um lamaçal, e elas devem ocupar sempre os melhores lugares. Nunca ninguém me ajuda a subir numa carruagem, a passar por cima da

---

* Publicado originalmente no blog da *CartaCapital* em 24 de março de 2015.

lama ou me cede o melhor lugar! E não sou eu uma mulher? Olhem para mim! Olhem para meu braço! Eu capinei, eu plantei, juntei palha nos celeiros, e homem nenhum conseguiu me superar! E não sou eu uma mulher? Consegui trabalhar e comer tanto quanto um homem — quando tinha o que comer — e aguentei as chicotadas! Não sou eu uma mulher? Pari cinco filhos, e a maioria deles foi vendida como escravos. Quando manifestei minha dor de mãe, ninguém, a não ser Jesus, me ouviu! E não sou eu uma mulher?

Ou seja, ela já anunciava que a situação da mulher negra era radicalmente diferente da situação da mulher branca. Enquanto àquela época mulheres brancas lutavam pelo direito ao voto e ao trabalho, mulheres negras lutavam para ser consideradas pessoas.

No Brasil, o feminismo negro começou a ganhar força nos anos 1980. Segundo a socióloga Núbia Moreira:

> A relação das mulheres negras com o movimento feminista se estabelece a partir do III Encontro Feminista Latino-Americano ocorrido em Bertioga em 1985, de onde emerge a organização atual de mulheres negras com expressão coletiva com o intuito de adquirir visibilidade política no campo feminista. A partir daí, surgem os primeiros coletivos de mulheres negras, época em que aconteceram alguns encontros estaduais e nacionais de mulheres negras.
>
> Em momentos anteriores, porém, há vestígios de participação de mulheres negras no Encontro Nacional de Mulheres, realizado em março de 1979. No entanto, a nossa compreensão é que, a partir do encontro ocorrido em Bertioga, se consolida entre as mulheres negras um discurso feminista, uma vez que em décadas anteriores havia uma rejeição por parte de algumas mulheres negras em aceitar a identidade feminista.

Existe ainda, por parte de muitas feministas brancas, uma resistência muito grande em perceber que, apesar do gênero nos unir, há outras especificidades que nos separam e afastam. Enquanto feministas brancas tratarem a questão racial como birra e disputa, em vez de reconhecer seus privilégios, o movimento não vai avançar, só reproduzir as velhas e conhecidas lógicas de opressão. Em *O segundo sexo*, Beauvoir diz: "Se a 'questão feminina' é tão absurda é porque a arrogância masculina fez dela uma 'querela', e quando as pessoas querelam não raciocinam bem". E eu atualizo isso para a questão das mulheres negras: se a questão das mulheres negras é tão absurda é porque a arrogância do feminismo branco fez dela uma querela, e quando as pessoas querelam não raciocinam bem.

Em obras sobre feminismo no Brasil é muito comum não encontrarmos nada falando sobre feminismo negro. Isso é sintomático. Para quem é esse feminismo então? É necessário entender de uma vez por todas que existem várias mulheres contidas nesse ser mulher e romper com a tentação da universalidade, que só exclui. Há grandes estudiosas e pensadoras brasileiras ou estrangeiras já publicadas por aqui, como Sueli Carneiro, Jurema Werneck, Núbia Moreira, Lélia Gonzalez, Beatriz Nascimento, Luiza Bairros Cristiano Rodrigues, Audre Lorde, Patricia Hill Collins e bell hooks, que produziram e produzem grandes obras e reflexões. Nunca é tarde para começar a lê-las.

A vingança do goleiro Barbosa[*]

Em 1950, na final da Copa do Mundo entre Brasil e Uruguai no Maracanã, além do trauma da derrota, o Brasil ganhou também um estereótipo: o de que negro não podia ser goleiro. Apesar de ser considerado um bom jogador, Moacyr Barbosa foi eleito o grande culpado pelo vice-campeonato, carregando até o fim de sua vida, em 7 de abril de 2000, esse fardo.

Somente 56 anos depois, em 2006, a seleção brasileira teve outro goleiro negro como titular, o Dida. Ele já havia sido terceiro goleiro na Copa de 1998 e tinha feito parte do elenco pentacampeão em 2002 como reserva. Depois, só em 2015, Jefferson, do Botafogo, atuou em alguns jogos da seleção. No âmbito dos times, em 2014, Aranha, na época goleiro do Santos, foi vítima de racismo durante um jogo em Porto Alegre e a partida chegou a ser paralisada por isso.

[*] Publicado originalmente no blog da *CartaCapital* em 13 de abril de 2014 como "A vingança de Barbosa: A luta do goleiro negro por respeito".

De acordo com Paulo Guilherme, autor do livro *Goleiros: Heróis e anti-heróis da camisa 1*, do primeiro jogo da seleção brasileira, em 1914, até 2006, 92 goleiros foram convocados, mas apenas doze eram negros. O livro também revela que a presença de goleiros negros e pardos na elite do futebol nacional aumenta a cada ano. Em 2004, eram 12,5%; em 2005, 18%; em 2006, 20,5%; em 2010, 25%; em 2012, 31%. Mesmo assim, esse número ainda é pequeno quando comparado às outras posições. Fico pensando quantos meninos negros não tiveram seus sonhos destruídos por conta dessa atitude racista.

Donald Veronico, educador físico e gestor de projetos esportivos, entregou em 2004 um trabalho de conclusão de curso na Universidade Santa Cecília intitulado *O jogador negro no futebol brasileiro: Uma história de discriminação* em que afirma:

> o racismo no futebol é reflexo do racismo presente na sociedade brasileira. O ato racista que aconteceu com Barbosa guiou o pensamento de muitos técnicos de futebol, principalmente de categorias de base e de iniciação esportiva, que devem ter matado o sonho de muitos meninos negros desencorajando-os a serem goleiros. Em suma, o que ocorreu com Barbosa não se limitou a ele, se estendeu a várias gerações de meninos negros.

Quando uma pessoa de um grupo historicamente discriminado erra, todo o grupo leva a culpa. No caso de Barbosa, criou-se o mito de que negros não servem para goleiro. E, por exemplo, se uma mulher bandeirinha erra num lance, a primeira coisa que vão dizer é: "mulher não serve para trabalhar com futebol", "deveria estar lavando louça". Se um árbitro homem erra, ninguém diz que homem não serve para trabalhar com futebol — culpa-se o indivíduo, e não o grupo.

E por que isso acontece? Porque grupos historicamente discriminados — como mulheres, negros e mulheres negras — carregam estigmas e estereótipos criados pelo machismo e pelo racismo. Como diz a historiadora Joan Scott em "O enigma da igualdade", "como objeto de discriminação, alguém é transformado em estereótipo".

Estereótipos são generalizações impostas a grupos sociais específicos, geralmente aqueles oprimidos. Numa sociedade machista, impõe-se a criação de papéis de gêneros como forma de manutenção de poder, negando-se humanidade às mulheres. Dizer por exemplo que mulheres são naturalmente maternais e que devem cuidar de afazeres domésticos naturaliza opressões que são construídas socialmente e que passam a mensagem de que o espaço público não é para elas. O mesmo ocorre com pessoas negras: a ideia de que toda negra sabe sambar ou de que todo negro é bom de bola (desde que não seja goleiro) são estereótipos que têm por finalidade nos manter no lugar que a sociedade racista determina.

Júlio César, goleiro da seleção na Copa de 2014, que aconteceu no Brasil, não foi considerado o único culpado pela derrota brasileira para a Alemanha por 7 a 1 — não que devesse ter sido, porque o time todo joga. Tampouco se ouviu alguém dizer que homens brancos são frangueiros, por exemplo. Não foi criado um mito em cima do goleiro branco. Pessoas brancas estão no poder, logo suas falhas são atribuídas ao coletivo, e sua hegemonia e seu poder são garantidos.

Após a derrota vexatória, Tereza Borba, filha do goleiro da Copa de 1950 e única familiar viva dele, que acompanhara o drama e a dor de seu pai, transformado em vilão nacional, disse em entrevista: "Ele deve estar feliz". Não que houvesse torcida para que aquilo acontecesse, já que nem nos nossos piores pesadelos imaginaríamos uma derrota tão contundente, mas porque a memória de Barbosa pôde enfim descansar em paz. Agora ele pode ser lembrado com respeito pelos seus títulos, como a Copa América, a Copa Roca e o hexa carioca pelo Vasco. Enfim, que se faça justiça, não somente a ele, mas a todos e todas que tiveram seus sonhos impedidos pelo racismo.

P.S.: Ao realizar a pesquisa para escrever esse texto, deparei com entrevistas de escritores e sociólogos sobre o tema. Alguns deles diziam não haver preconceito em relação a goleiros negros e que se tratava de uma coincidência, o que é uma leitura extremamente superficial não apenas de uma sociedade racista, mas do caso em questão. Triste coincidência racista essa...

Uma mulher negra no poder incomoda muita gente[*]

Eu já havia percebido que uma mulher negra empoderada incomoda muita gente — basta perceber os olhares e os comentários de algumas pessoas quando veem uma que não se curva às exigências de uma sociedade racista e misógina. É muito comum ouvir xingamentos do tipo "Que negra metida", "Essa negra se acha" ou "Quem essa negra pensa que é?" quando saímos do lugar que a sociedade acha que é o nosso. Mas o que aconteceu em Parma, Missouri, nos Estados Unidos, foi um exemplo da exacerbação máxima que uma mulher negra no poder pode causar. Muitos pensarão que se trata de notícia falsa, *hoax* ou matéria de décadas passadas, mas não se enganem.

Tyrus Byrd, uma missionária cristã e escrivã da pequena cidade de aproximadamente setecentos habitantes, resolveu se candidatar ao cargo de prefeita. Ela venceu por 37 votos o então prefeito Randall Ramsey, que ficara 37 anos no poder (numerólogos,

[*] Publicado originalmente no blog da *CartaCapital* em 23 de abril de 2015.

me ajudem). Após ser eleita a primeira mulher negra para o cargo, no dia 14 de abril de 2015, diversos servidores públicos como o procurador-geral, dois funcionários da estação de tratamento de água e 80% dos policiais (cinco dos seis) pediram demissão alegando "questões de segurança". *Questões de segurança*. A desculpa utilizada me deixou um tanto intrigada. Afinal, o que pode haver de tão assustador no fato de uma mulher negra governar a cidade?

Todos os funcionários que se demitiram são homens brancos. Será que estamos perto de encontrar uma resposta?

A moradora Martha Miller, em entrevista para um canal local, criticou a atitude dos funcionários: "Eu acho que é bem desonesto eles se demitirem sem dar uma chance à nova prefeita". Concordo com Martha, mas, além de desonestidade, diria que a atitude desses funcionários foi racista e machista, mas sei lá, né, a gente sempre vê demais, afinal, racismo e machismo são invenções de feministas loucas e desocupadas.

Tyrus Byrd afirmou que não vai se preocupar com essas demissões no momento, pois tem assuntos mais urgentes para resolver na cidade. Quase um terço dos moradores de Parma vive abaixo da linha da pobreza, em sua maioria negros. Realmente, a nova prefeita tem problemas mais sérios a resolver. Mas também vejo um lado positivo nisso tudo: se uma mulher negra no poder assusta tanto a ponto de servidores públicos se demitirem, é porque se está desnaturalizando o lugar de submissão que foi construído para nós; e o incômodo não está mais em nós, por julgarmos que certos espaços não nos pertencem.

Finalmente, o incômodo está indo para o lugar certo.

Repúdio ao blackface*

A companhia teatral Os Fofos Encenam apresentaria, no dia 12 de maio de 2015, a peça *A mulher do trem* no Itaú Cultural. Escrevi "apresentaria" porque uma personagem, que não por acaso é a empregada doméstica, era caracterizada com blackface, uma representação esdrúxula do negro, o que levou a manifestações de repúdio nas redes sociais e ao cancelamento da apresentação pelo instituto. No lugar, será realizado um debate com militantes, historiadores e pessoas ligadas ao teatro, com o objetivo de discutir por diversos ângulos o problema de se utilizar a prática, principalmente nos dias atuais.

Pessoas ligadas à companhia se justificaram dizendo que máscaras fazem parte da tradição circense. Atores defendendo a peça disseram haver exagero por parte dos militantes. Alguns alegaram que quem criticava não era do teatro. Bom, não é preciso ser teledramaturgo, por exemplo, para perceber que uma novela é

---

* Publicado originalmente na *CartaCapital* em 11 de maio de 2015 como "Artistas repudiam 'blackface' de peça".

racista ou se utiliza de componentes racistas — basta ter olhar crítico e conhecimento histórico.

Mesmo assim, fui ouvir pessoas ligadas à arte sobre esse caso, e a resposta foi no mesmo sentido da dos militantes. Renata Felinto, artista visual e doutoranda em artes visuais pela Universidade Estadual Paulista (Unesp), afirma: "Como dizia Mário de Andrade, 'a arte é uma expressão interessada na sociedade'". "Os Fofos, enquanto artistas que se dizem conscientes estética e politicamente, devem, portanto, acatar e ponderar acerca de um segmento da sociedade que se ofende a partir de um elemento presente em seu trabalho — que ofende, subjuga, recoloca o negro em um lugar passível de ridicularização e anacrônico, pois vivemos um momento de reivindicações e de conquistas. Na contemporaneidade, não há lugar para essa forma de estética. Além do que, na commedia dell'arte não existia a máscara do negro, só nos shows dos menestréis. É básico, é pesquisa e cuidado com seu público, pois negros compõem esse público", ela conclui.

Luma Oliveira, atriz do grupo Teatro da Oprimida Mulheres Negras (TOMN), tem visão semelhante: "É inadmissível que tentem silenciar a nós, negras e negros, diante de manifestações históricas de racismo, como um grupo de teatro se valer do blackface. Não adianta tentarem justificar o injustificável: o grupo nos deve desculpas públicas e a reformulação da peça. Quero ser protagonista da minha história, e não personagem caricato para uma sociedade racista. Todo teatro é político, e fazer blackface também é um posicionamento político", afirma ela.

Já a ativista cultural Bel Antunes diz que seguirá se manifestando contra a peça: "Não, ainda não nos cansamos, porque o sistema racista tampouco se cansa. Isso que alguns intelectuais estão chamando de fenômeno ocorre porque nos fortalecemos. Apontamos racismo até num 'mero' e 'insignificante' recurso de máscara blackface. Segundo nossos perseguidores, ficamos chatos, incomodamos, e é só o começo de uma nova etapa desta luta antiga. É necessário avançar".

Que o debate do dia 12 de maio sirva para trazer consciência e o entendimento de que a arte não está descolada dos valores da cultura e tampouco é neutra. Cômico, se não fosse trágico, é ainda em 2015 ter de pontuar o quanto o blackface é ofensivo à população negra.

Zero Hora, vamos falar de racismo?*

Fiquei extremamente chocada com um comentário publicado na edição de 31 de maio de 2015 do jornal *Zero Hora*, veículo do Rio Grande do Sul, feito por um leitor claramente racista e desinformado.

O comentário em si não me choca. Como mulher negra, já ouvi e li muitas coisas horríveis; o que me choca é o fato de um jornal tê-lo publicado. Até que ponto é possível se esconder sob o argumento da liberdade de expressão? É sabido que racismo é crime, certo? Logo, publicar algo racista também é crime, ou não? O comentário em questão foi publicado na versão impressa, então foi lido e selecionado, o que pode não acontecer num portal de internet, e isso torna o fato ainda mais grave.

No comentário, um senhor diz que é sabido que pessoas negras têm propensão natural ao crime e são menos qualificadas, e que é justamente por isso que lotam os presídios no Brasil.

---

* Publicado originalmente no blog da *CartaCapital* em 1º de junho de 2015.

Essa inferioridade natural atribuída à população negra foi utilizada na história como forma de opressão. Os estudos de evolução do século xix que aplicaram o conceito de racismo biológico marcando a relação de superioridade e inferioridade entre colonizadores e conquistados, mais precisamente na América, legitimaram as relações de dominação europeia ao atribuir aos negros uma "inferioridade natural" devido à cor e ao tamanho do cérebro. Autores como James Watson e Nina Rodrigues se utilizaram desse racismo biológico em suas pesquisas, e hoje ele é considerado algo totalmente deslegitimado e arcaico.

O comentário desse senhor mostra que ele ignora as construções do racismo em nossa sociedade. Foram 354 anos de escravidão e, depois, não se criaram mecanismos de inclusão para a população negra, como foram criados para os imigrantes que vieram para cá no processo de industrialização. Esses imigrantes também vieram "sem nenhuma formação", como disse o senhor, mas receberam oportunidades de trabalho e terras para iniciar suas vidas por aqui.

Se hoje usufruem de uma realidade diferente da dos negros foi porque receberam auxílio deste país para isso, o que não ocorreu com a população negra, que veio para cá como escrava e portanto em condição muito mais desumana. O poder sempre se esforçou para esconder a origem social das desigualdades, como se as disparidades fossem naturais, meritocráticas ou providencialmente fixadas. O que faz, por exemplo, com que esse senhor não perceba ou não queira perceber que os direitos negados e a situação de pobreza da maioria da população negra são decorrentes de uma estrutura social herdeira do escravismo.

Porém, o mais chocante aqui é um veículo de imprensa divulgar essa opinião racista, e, por conseguinte, ofensiva. Qual é o limite entre liberdade de expressão e discurso de ódio? Como diz a filósofa Judith Butler em *Excitable Speech*:

A linguagem opressora do discurso de ódio não é mera representação de uma ideia odiosa; ela é em si mesma uma conduta violenta, que visa submeter o outro, desconstruindo sua própria condição de sujeito, arrancando-o do seu contexto e colocando-o em outro onde paira a ameaça de uma violência real a ser cometida — uma verdadeira ameaça, por certo.

A hipocrisia em xeque[*]

A Comissão de Constituição e Justiça (CCJ) da Assembleia Legislativa do Rio Grande do Sul derrubou, em 28 de maio de 2015, um relatório favorável ao projeto de lei que proíbe o sacrifício de animais em rituais religiosos, de autoria da deputada Regina Becker (PDT). Em 12 de junho, a decisão foi reafirmada. A mesma CCJ aprovou um parecer contrário ao projeto, considerado inconstitucional, uma vez que a Constituição diz ser "inviolável a liberdade de consciência e de crença, sendo assegurado o livre exercício dos cultos religiosos e garantida, na forma da lei, a proteção aos locais de culto e a suas liturgias".

O processo foi marcado por muitas confusões e agressões. Religiosos saíram às ruas para se manifestar contra o projeto. Defensores da causa animal no Rio Grande do Sul foram acusados de agredir uma senhora de setenta anos, além de proferir xingamentos racistas.

---

[*] Publicado originalmente no blog da *CartaCapital* em 16 de junho de 2015 como "A hipocrisia contra as religiões de matriz africana foi sacrificada".

Jamille da Rosa, estudante e adepta de religiões de matriz africana desde criança, acompanhou todo o debate. "Houve tumulto nos dias de votação, incitação ao ódio, ameaças aos seguidores dessas religiões", disse. "Queria ver esse ódio ser direcionado aos grandes frigoríficos e não às nossas religiões, já perseguidas historicamente por conta do racismo." Leci Brandão (PCdoB), deputada estadual em São Paulo, foi alvo de ameaças e insultos ao defender o arquivamento do projeto.

É necessário entender como as coisas funcionam para evitar preconceitos. Como diz Mãe Stella de Oxóssi no artigo "Ritual e sacrifício": "Não é nosso interesse forçar alguém a crer em nossas verdades, mas é nossa obrigação oferecer subsídios para ajudar as pessoas a ampliarem o conhecimento de suas mentes a fim de que seus corações possam ficar cada vez mais livres de preconceitos".

Nessas religiões são sacrificados aves e animais de quatro patas como bodes e carneiros. Não é verdade, como tentou-se espalhar, que se sacrificam gatos e cachorros, por exemplo. Esses animais são entregues em oferendas aos orixás, depois sua carne é comida em festas e o couro é utilizado nos atabaques. Os animais não são sacrificados "à toa", há uma questão do sagrado, mas também prática. Não muito diferente de quem já compra sua carne abatida no açougue ou no mercado, por exemplo. "No dia em que os homens deixarem de ter na mesa galinha, galo, carneiro, porco, boi... naturalmente esses animais deixarão de ser ofertados aos deuses", enfatiza Mãe Stella.

É sabido o modo desumano como os animais são tratados nos grandes abatedouros e pela indústria da carne. Logo, faz sentido proibir o sacrifício nessas religiões enquanto a indústria fatura bilhões? Fora isso, católicos comem peru no Natal, peixe na Semana Santa, e alimentos com carne são vendidos em quermesses. Isso também deveria ser proibido? Várias igrejas evangélicas possuem cantinas onde se vendem alimentos com carne. Como proceder em relação a isso? Afinal, ela também vem de animais sacrificados. Vi muitas manifestações de pessoas a favor do projeto enquanto preparavam calmamente seus churrascos de domingo.

Com isso, não está se negando a discussão do modo como os animais são tratados ou a questão política de ser vegetariano ou vegano. Se está colocando em xeque a hipocrisia de querer perseguir quem já é perseguido e fechar os olhos para os verdadeiros exploradores de animais. Se for para combater, que se combata quem verdadeiramente lucra com isso.

"Com o arquivamento desse projeto, vencemos a batalha para continuar a cultuar nosso sagrado, nossa crença", diz a estudante Da Rosa. "Armados com nossa fé e nossa coragem, advindos de nossa ancestralidade, perpetuados por nossos pais e mães de santo, que curam nossas feridas e doenças, fomos às ruas mostrar que nossos tambores não serão calados", afirma.

Enfim, sacrificou-se a hipocrisia.

O racismo dos outros*

Em julho de 2015, a "garota do tempo" do *Jornal Nacional*, Maria Júlia Coutinho, carinhosamente chamada de Maju, foi alvo de comentários racistas nas redes sociais. Pessoas rapidamente se manifestaram contra o episódio, foram criadas campanhas de apoio, e a hashtag #somostodasmaju passou a liderar os trending topics do Twitter.

Obviamente me solidarizo com Maju. Como mulher negra que se coloca, sei o que é receber ofensas de pessoas sem noção nas redes sociais. Porém, o que me intriga é a falta de crítica de muitas pessoas que também se solidarizaram com ela.

Quando vi algumas pessoas da minha rede de amigos surpresas com as ofensas, minha vontade foi dizer: queridinhos, é a mesma coisa que vocês faziam comigo na escola, lembram? Quase escrevi para um colega perguntando se ele lembrava que, quando descobriu que eu fazia mestrado em filosofia política e que fa-

---

* Publicado originalmente no blog da *CartaCapital* em 6 de julho de 2015 como "Brasil: Onde racistas só se surpreendem com o racismo dos outros".

lava outros idiomas, disse: "Nossa, você é inteligente mesmo, se fosse loira seria um fenômeno".

Aos que dizem "em pleno século XXI e isso ainda acontece" falta conhecimento da história do Brasil, um país fundado no racismo. Como sempre digo, não precisa ler Frantz Fanon: basta ligar a TV. Num país com 52% de população negra, por que ninguém estranha a ausência de negros na TV? Por que não criam uma campanha por uma TV menos eurocêntrica, por exemplo?

Quem é da área da educação e ficou indignado está trabalhando conforme a lei 10 639? Trata-se de uma norma de 2003 que alterou a Lei de Diretrizes e Bases da Educação e que obriga a inclusão do ensino da história africana e afro-brasileira na escola. A aula é interrompida quando um aluno faz ofensas racistas a outro ou o educador diz que é brincadeira e se omite? Quem é empregador contrata profissionais negras?

É urgente que pessoas brancas discutam racismo pelo viés da branquitude, que se questionem. Que reflitam e perguntem a si mesmas: quantas vezes contribui com a baixa autoestima da minha amiga negra ao fazer piadas sobre o cabelo dela? Quantas vezes fui obstáculo no sonho de uma pessoa negra por achar que filha de empregada doméstica não pode fazer faculdade com meu filho? Quantas vezes internalizei que mulheres negras deveriam me servir em vez de entender que são empurradas a isso por conta do racismo e do machismo estruturais?

Sem esses questionamentos, não serve de nada mostrar indignação. Já estamos fartas de campanhas que não mexem nas estruturas e não questionam privilégios. Não adianta se revoltar com as ofensas que Maju sofreu julgando que são coisas isoladas, que só acontecem às vezes, quando o racismo é uma realidade para a qual muitos fecham os olhos.

Não adianta se incomodar com isso e ser contra cotas, ser fã de humoristas racistas, chamar militantes de vitimistas. Ou ainda ser a favor da redução da maioridade penal quando se sabe que ela só vai encarcerar jovens negros, porque se julga que jovens brancos ricos ou de classe média são "de boa família" e "cometeram um erro".

Não dá para ter indignação seletiva, se revoltar com o que aconteceu com a jornalista e se calar quando é com o porteiro, com o menino da periferia.

No Brasil, até quem se coloca contra certas atitudes racistas não sabe ou finge não saber como o racismo age. Racismo é um sistema de opressão que vai além de ofensas, negando direitos. Como disse o antropólogo Kabengele Munanga certa vez numa entrevista: "O racismo é um crime perfeito no Brasil, porque quem o comete acha que a culpa está na própria vítima; além do mais, destrói a consciência dos cidadãos brasileiros sobre a questão racial".

Toda a solidariedade a Maju e toda a indignação perante a hipocrisia. Sim, o Brasil é racista, e o ódio contra a população negra existe desde que o primeiro navio negreiro aqui chegou.

Ser contra as cotas raciais é concordar com a perpetuação do racismo*

É comum algumas pessoas não entenderem por que afirmamos que os contrários às cotas raciais são racistas. Há quem pense que racismo diz respeito somente a ofensas e injúrias, sem perceber que vai muito mais além: consiste em um sistema de opressão que privilegia um grupo racial em detrimento de outro.

Após os quase quatro séculos de escravidão no Brasil, em que a população negra trabalhou para enriquecer a branca, incentivou-se a vinda de imigrantes europeus para cá. Tiveram acesso a trabalho remunerado, e muitos deles inclusive receberam terras do Estado brasileiro — o que não deixa de ser uma ação afirmativa. Se hoje a maioria de seus descendentes desfruta de uma realidade confortável, é graças a essa ajuda inicial.

Em contrapartida, para a população negra não se criou mecanismos de inclusão. Das senzalas fomos para as favelas. Se hoje a maioria da população negra é pobre é por conta dessa herança

---

* Publicado originalmente no blog da *CartaCapital* em 15 de julho de 2015.

escravocrata. É necessário conhecer a história deste país para entender por que certas medidas, como ações afirmativas, são justas e necessárias. Elas devem existir justamente porque a sociedade é excludente e injusta com a população negra.

Cota é uma modalidade de ação afirmativa que visa diminuir as distâncias, no caso das universidades, na educação superior. Mesmo sendo a maioria no Brasil, a população negra é muito pequena na academia. E por quê? Porque o racismo institucional impede a mobilidade social e o acesso da população negra a esses espaços.

Pessoas brancas são privilegiadas e beneficiadas pelo racismo. Um garoto branco de classe média que estudou em boas escolas, come bem, aprende outros idiomas, tem acesso a lazer e passa em uma universidade pública pode se achar o máximo das galáxias, mas na verdade o que ocorre é que teve oportunidades. Qual mérito ele teve? Nenhum. O que ele teve foram condições para tal.

Um garoto negro pobre que estuda nas péssimas escolas públicas, come mal e não tem acesso a lazer terá muito mais dificuldades para passar em uma universidade, porque não teve as mesmas oportunidades. Cota não diz respeito a capacidade, porque isso sabemos que temos; cota diz respeito a oportunidade. É isso que nos falta.

Se o Estado brasileiro racista priva a população negra de oportunidades é seu dever construir mecanismos para mudar isso. O movimento negro sempre reivindicou cotas *e* a melhoria do ensino de base. Só que, segundo pesquisa do Instituto de Pesquisa Econômica Aplicada (Ipea), demoraria por volta de cinquenta anos para que a educação de base fosse de qualidade. Quantas gerações mais condenaríamos sem as cotas?

Cotas e investimento no ensino de base não são tópicos excludentes — ao contrário, devem acontecer concomitantemente. Cotas não são pensão da previdência, mas medidas emergenciais temporárias que devem existir até as distâncias diminuírem.

Minha avó materna nascida na década de 1920 teve de começar a trabalhar aos nove anos como empregada doméstica. O Estado brasileiro não garantiu seu direito à educação. Ela contava que a patroa colocava um banquinho para que ela alcançasse a pia para lavar a louça enquanto os filhos estudavam, viajavam, comiam bem.

Joselia Oliveira, atleta de levantamento de peso, possui uma história similar. Ela mesma conta: "Sou do interior do Rio de Janeiro e aos seis anos já subia no banquinho para lavar louça e cuidava de crianças menores. Uma família me trouxe para o Rio de Janeiro com a promessa de cuidar de mim, mas eu só trabalhava, não recebia salário e ganhava roupas e brinquedos usados. Muitas meninas do meu bairro tiveram o mesmo destino. Só aos catorze fui entender que aquilo era exploração, mas recuperar tanto tempo perdido não é fácil. Por isso, cotas são necessárias".

Joselia nasceu em 1978 e ainda enfrentou a mesma realidade da minha avó, que é a realidade de muitas mulheres negras. Infelizmente, essa ainda é a regra. E, para se pensar políticas públicas, devemos nos ater à regra, e não a exceções. Utilizar o ex-ministro do Supremo Tribunal Federal Joaquim Barbosa como exemplo quando a maioria da população negra está na pobreza é, além de um argumento falho, ignorância e má-fé.

Logo, ser contra uma medida que visa combater essas distâncias criadas pelo racismo é ser a favor da perpetuação do mesmo. E se você se coloca contra isso, então é o quê?

Aos que se mostram contrários às cotas, indico que pesquisem sobre o conceito de equidade aristotélica: as ações afirmativas também se baseiam nele, que basicamente implica tratar desigualmente os desiguais para promover a efetiva igualdade. Ou seja, se duas pessoas vivem em situações desiguais, não se pode aplicar o conceito de igualdade abstrata, porque concretamente é a desigualdade que se verifica. Aquela pessoa que está em situação de desigualdade precisa de mecanismos que visem a seu acesso à cidadania.

Em relação a pessoas brancas pobres e oriundas de escolas públicas, existem as cotas sociais. Mas isso não exclui a importância das cotas raciais, porque pessoas brancas, ainda que pobres, possuem mais possibilidades de mobilidade social, uma vez que não enfrentam o racismo. Como exercício, sugiro um simples passeio por um shopping observando a cor dos vendedores e vendedoras, e a dos gerentes. Negros são os mais pobres entre os pobres, e só a cota social não nos atinge. Ela também beneficiaria somente pessoas brancas.

Cotas raciais são necessárias porque este país possui uma dívida histórica para com a população negra. Dizer-se antirracista e ser contra as cotas é, no mínimo, uma contradição cognitiva e, no máximo, racismo. Ou se lida com isso, ou se repensa e questiona os próprios privilégios. Fazer-se de vítima é reclamar de exclusões que nunca se sofreu.

Cansado de ouvir sobre machismo e racismo?*

Quem é feminista, milita na luta antirracista ou no movimento LGBT com certeza já ouviu de alguém a frase: "Ah, mas vocês só falam disso", seja para expressar cansaço ou destilar ódio. Essas pessoas obviamente ignoram que machismo e racismo são elementos estruturantes desta sociedade, de modo que nenhum espaço estará isento dessas opressões. Basta verificar as desigualdades salariais entre homens e mulheres — e, se falarmos de mulheres negras, a distância é maior ainda — ou o número de jovens negros assassinados pelo Estado.

Para nós, falar desses temas é questão de sobrevivência; é denunciar a dura e desigual realidade. Pedir para pararmos de falar disso é querer manter as coisas como estão, sucumbir ao que podemos chamar de síndrome de Morgan Freeman — ator que disse em entrevista que o dia em que pararmos de falar de racismo ele deixará de existir, como se fosse uma entidade.

---

* Publicado originalmente no blog da *CartaCapital* em 17 de agosto de 2015 como "Cansado de ouvir sobre machismo e racismo? Imagine quem vive isso".

Fazendo uma analogia simplista, que um "argumento" simplista como esse exige: se uma pessoa está com câncer e só deixar de falar nisso, sem procurar tratamento, a doença vai desaparecer? Não querer discutir temas tão importantes é sintomático de uma sociedade imatura demais para o debate sério. Há uma frase que circula nas redes sociais que explica bem: "Se você está cansado de ouvir falar sobre racismo, imagine quem vive isso todos os dias".

Fora isso, há os intelectuais e especialistas dispostos a falar sobre todos os assuntos e que nos acusam de "só saber falar disso". Julgo esses casos ainda piores, porque essas pessoas têm acesso a um debate mais crítico, mas preferem se esconder atrás de seus privilégios. Criam categorias como "literatura feminina", assuntos "para mulheres". A literatura produzida por eles é tida como universal, enquanto a feita por mulheres é "literatura feminina". Alguém já ouviu falar em literatura masculina? Essas subcategorias são criadas para hierarquizar arte e conhecimento. Julgam que falam do universal enquanto nós falamos do específico, do "nosso mundo", quando é justamente o contrário.

Ao falarmos de nós, estamos denunciando o quanto essa categorização que tem como base o homem branco é falsa. Apontar isso é ampliar a universalidade, fazer com que abranja um número maior de possibilidades de existência.

Se racismo e machismo são elementos fundadores da sociedade, as hierarquizações de humanidade serão reproduzidas em todos os espaços. Desse modo, a ciência já foi utilizada para legitimar racismo através dos estudos de evolução biológica do século XIX, que introduziam o conceito de "racismo biológico", assim como para tentar provar uma suposta inferioridade natural da mulher.

Como disse Pierre Bourdieu no artigo "O campo científico", "A ciência neutra é uma ficção. Uma ficção interessada". Quem possui privilégios sociais tem interesse em criar mecanismos para mantê-los, seja pela ciência, pela arte ou pela educação. Lélia

Gonzalez, intelectual e feminista negra, aborda essa questão em suas obras. Criticando a ciência moderna como padrão exclusivo para a produção do conhecimento, ela vê a hierarquização de saberes como produto da classificação racial da população, uma vez que o modelo valorizado e universal é branco.

Nada é isento de ideologia. Como acadêmica e militante, ouço de outros acadêmicos que sou ideológica por estudar feminismo, como se eles não estivessem seguindo uma ideologia, inclusive ao decidir quais temas são legítimos ou não e quem deve ser mantido fora daquele espaço. Nosso ponto de partida, como define Patricia Hill Collins, ou nosso "só falar disso", nos permite refutar esse modelo e pensar outros mais plurais e democráticos. Não é possível falar de política, sociedade e arte sem falar de racismo e sexismo.

Falar de questões que foram historicamente tidas como inferiores, falar de mulher, população negra e LGBT, é romper com a ilusão de universalidade que exclui. Não nos enganemos quando eles dizem que falam de temas universais e nós não. Estão somente falando de si próprios.

Respeitem Serena Williams*

Artigos e estudos de diversos países abordando a forma racista e sexista como a tenista Serena Williams é retratada pela mídia já foram publicados. A insatisfação com essas atitudes é mostrada por várias pessoas. Mas a mídia esportiva não aprende.

Serena Williams é uma das maiores campeãs de todos os tempos. Entre todos os tenistas em atividade, é a que tem o maior número de títulos de Grand Slams — a façanha de ganhar os quatro campeonatos mais importantes do ano —, possui 21 títulos individuais e mais de dez em dupla com a irmã, Venus. Além disso, é campeã olímpica e detentora de inúmeros recordes. Mas a mídia racista e sexista não se conforma em ver uma mulher negra com personalidade. John McEnroe, um grande tenista da história, era excêntrico, discutia com os árbitros, possuía um comportamento muitas vezes agressivo. Mas, como homem e branco, era

---

* Publicado originalmente no blog da *CartaCapital* em 26 de agosto de 2015 como "Comentaristas esportivos: Respeitem Serena Williams".

tido como alguém de personalidade forte, irreverente. Serena é tida como bruta e um mau exemplo para os fãs.

No Brasil, o tratamento não é diferente. Como uma pessoa que ama tênis, posso dizer que é um martírio assistir às partidas pela televisão. Muitas vezes prefiro seguir o site dos torneios para não me aborrecer com o despreparo dos profissionais.

Na ESPN, no SportV e no Bandsports, os comentaristas se referem a Serena Williams como "Serenão". É nítida a falta de respeito nisso — como se, para uma mulher ser forte, precisasse ser colocada num padrão masculino. O apelido denota que mulher e força não combinam, reproduzindo assim o mito da fragilidade feminina. Além disso, Serena tem garra, expressa raiva e seu jogo é agressivo. Tudo isso é quase um crime para uma mulher.

Por romper com os modelos impostos de feminilidade, ela é alvo de comentários preconceituosos. Costumavam ser feitas até observações desrespeitosas em relação a um suposto namoro dela com seu técnico, o francês Patrick Mouratoglou, dando a entender que ele era um homem "corajoso" por estar com ela. Quando se referiam ao namoro de Maria Sharapova com o tenista Grigor Dimitrov, diziam que ele era um homem de sorte por ter Sharapova esperando por ele em casa. Se as duas tenistas se enfrentam, chamam uma de bela e a outra de fera.

Além de racista, é uma mídia punheteira, que se sente no direito de "elogiar" a forma das jogadoras, se esquecendo de que são atletas, mulheres, e não objetos. Elegem "musas" e fazem comentários completamente desnecessários e machistas.

Os olhares condicionados do que é belo e feminino insultam a inteligência de quem vê. Além de Sharapova, Ana Ivanović é alvo de comentários desnecessários por ser considerada bonita por eles. Com os jogadores homens isso não acontece. São profissionais trabalhando. Um comentarista da ESPN se referiu a toda a família de Serena uma vez como "um show de horror".

Comentaristas esportivos são contratados para avaliar questões técnicas, e não para fazer fofoca ou julgar a beleza das atletas. Alguns deles foram tenistas sem expressão, que nem de longe obtiveram resultados como os de Serena, mas se acham no direito de tratá-la dessa forma. Seria recalque? Acredito que em parte, mas, mais do que isso, trata-se de uma mídia esportiva racista, machista, antiética e despreparada. É perceptível o incômodo desses profissionais com Serena Williams. Ela transcende a visão de mundo limitada dessas pessoas.

Minha filha se interessou por jogar tênis por causa de Serena. Quando tinha três anos, ela a viu jogando e disse: "Olha, mãe, ela é negra como eu! Também quero jogar tênis". As irmãs Williams quebraram paradigmas, são grandes campeãs em um esporte elitista. Mas parece que a sociedade racista ainda não se conformou com isso.

Chega a ser cômica a tentativa de tentar diminuir seus feitos, porque ela segue ganhando títulos e já está na história. Temos sorte de ser contemporâneos de uma tenista desse nível. Quando Serena se aposentar, fará muita falta ao esporte.

Homens brancos podem protagonizar a luta feminista e antirracista?[*]

Quando falamos da questão do protagonismo, sempre vem alguém dizer: "Qualquer um pode falar sobre opressões, não preciso ser negro para apoiar a luta". Não precisa mesmo, e é dever dos não negros se conscientizar e lutar contra as opressões. Mas o que muitos não entendem é que são eles que têm falado sobre nós ao longo do tempo.

Os trabalhos acadêmicos iniciais sobre essa questão, por exemplo, foram feitos por não negros justamente porque o racismo impede o acesso da população negra aos espaços acadêmicos. Muitos desses trabalhos são bons, muitos não, mas a questão não é essa.

Se pessoas brancas continuarem falando sobre pessoas negras, não vamos mudar a estrutura de opressão que já confere esses privilégios aos brancos. Nós, negras e negros, seguiremos apartados dos espaços de poder. E nossa luta existe justamente por

[*] Publicado originalmente no blog da *CartaCapital* em 28 de setembro de 2015.

causa dessa separação. De modo que não podemos seguir apartados do movimento formado para combater justamente isso.

Não perceber essa importância me faz questionar até que ponto se é aliado. Como negra, não quero mais ser objeto de estudo, e sim o sujeito da pesquisa. Se já estou fora de diversos espaços, um aliado veria a importância da minha fala sobre problemas que me afligem em vez de querer falar por mim. É necessário usar seu espaço de privilégio para dar espaço a grupos que não o têm, até porque esse privilégio foi construído em cima das costas de quem foi e é historicamente discriminado.

Em 2015 a filósofa Judith Butler esteve no Brasil pela primeira vez e tive a oportunidade de conhecê-la. Estudo sua obra na minha pesquisa de mestrado. Meu orientador foi convidado para um encontro com ela e pediu que eu fosse junto.

Ele acabou não comparecendo porque precisava dar aula, mas insistiu para que eu fosse sozinha. Isso é empatia, perceber seu papel como aliado. Eu não conseguiria estar naquele espaço se não fosse por sua atitude consciente. Como feminista que estuda Judith Butler, era importante eu estar ali. Isso é ser sujeito político. Caso contrário, só validaria nossa exclusão de certos espaços.

A mesma lógica vale para o feminismo. Mulheres brancas ganham até 30% menos do que os homens brancos na mesma função; negras, até 70%. Somos todas minoria nos espaços de poder. Como um homem branco privilegiado não percebe que, se protagonizar essa luta, as mulheres seguirão apartadas?

Se um homem quer se posicionar a favor do feminismo, não precisa ganhar dinheiro escrevendo sobre isso. Pode conversar com seus conhecidos, repreender um amigo que chama uma mulher de gostosa e explicar que isso é assédio. Se for professor, deve apoiar alunas, e não as assediar. Pode abrir o assunto para debate em sala de aula, pode se posicionar a favor desses temas dentro do departamento. Se for pai, pode cumprir com sua obrigação sem achar que merece estrelinhas, limpando a própria sujeira, lavando as próprias cuecas. Jornalistas podem abordar o tema com respeito e entrevistar mais mulheres, sobretudo as negras, que seguem sem muito espaço. Parlamentares podem colocar a questão na agenda política.

Em relação à questão racial é a mesma coisa. Comece a se perguntar: Quantas vezes fiz um discurso lindo contra o racismo, mas silenciei uma mulher negra que tinha mais legitimidade para falar de um tema que a atinge? Quantas vezes denunciei o preconceito, mas romantizei a relação com minha empregada negra? O que me parece é que muitos só querem o título se estiverem sob holofotes.

O discurso de Viola Davis ao ser a primeira mulher negra a ganhar o Emmy de melhor atriz em série dramática em 67 anos nos mostra como o protagonismo é importante. Vi gente dizer: "Ah, mas por que ela teve que fazer um discurso político?". Oras, porque a arte não está dissociada dos valores da sociedade, porque não existe arte pela arte. Porque a indústria é racista, basta ver.

Nós, como negras, nos emocionamos porque sabemos o que é ser preterida mesmo sendo boa, sabemos o que é não se ver. Então, a vitória de Viola é nossa. Uma pessoa branca não sente esse pertencimento e essa conquista como coletivos, pois em sua maioria os brancos já ocupam esse espaço.

Algumas pessoas ficaram felizes porque gostavam dela, mas para nós a vitória tem um significado de resistência: é como se todas pudéssemos ser Viola. Não perceber a importância da representatividade num país como o nosso, que teve quase quatro séculos de escravidão e mantém a população negra na subalternidade, me dá a impressão de que muitas pessoas precisam urgentemente rever seus conceitos. Ou seu racismo mesmo.

É preciso que as pessoas parem com a síndrome de privilegiado, que julga que pode falar sobre qualquer coisa. Poder até pode. Mas, em determinadas instâncias, a pergunta a fazer é: "devo?".

Quem se responsabiliza pelo abandono da mãe?*

A notícia de que uma mulher abandonou um recém-nascido no bairro de Higienópolis, em São Paulo, ganhou repercussão. Câmeras de segurança próximas ao local do abandono a flagraram deixando a criança dentro de uma sacola. No dia 7 de outubro de 2015, ela foi identificada e presa por policiais civis. As imagens da mulher sendo levada pela polícia são de cortar o coração.

Logo choveram comentários nas redes sociais xingando-a de desnaturada, criminosa, quase assassina. Policiais posaram para fotos com o bebê, que foi encaminhado para um abrigo.

Não quero de forma alguma dizer que concordo com abandono de crianças. Mas vamos pensar nisso sob outra perspectiva.

A mulher de 37 anos, que é empregada doméstica e fora isso não foi identificada, disse em depoimento à polícia ter parido a criança sozinha no quarto de empregada do apartamento onde

---

* Publicado originalmente no blog da *CartaCapital* em 9 de outubro de 2015.

trabalha, sem contar aos patrões por medo de ser demitida, porque já é mãe de uma menina de três anos.

As pessoas que julgam e apedrejam essa mulher nem sequer se questionam sobre a violência à qual foi submetida. Imagino o que ela sentiu durante a gestação, com medo de ser descoberta. Imagino a angústia e a solidão ao dar à luz sozinha.

Questiono a ausência do pai nessa situação. Ele também não deve ser responsabilizado pelo abandono? Por que os jornalistas não se preocuparam com ele? E como os patrões não perceberam a gravidez da funcionária?

Num país machista que impõe a maternidade como destino às mulheres, é necessário pensar para além do senso comum. O aborto é criminalizado, o Estado não permite que mulheres tenham autonomia sobre seus corpos. Porém, segundo diversas pesquisas, é sabido que muitas mulheres abortam.

A criminalização determina quais delas vão morrer. Quais delas terão que passar pelo desespero de abandonar seus filhos por medo de perder o emprego. Mulheres de classe privilegiada pagam por procedimentos seguros, enquanto as pobres, em sua maioria negras, ou ficam com danos graves à saúde e morrem ou são vítimas do desespero. É necessário debater a omissão e a ilegalidade do Estado.

Se essa mulher escondeu a gravidez por medo de ser demitida é porque, provavelmente, os patrões já deviam ter dito isso a ela. Se não fosse um problema para permanecer no trabalho, ela não precisaria tomar uma atitude tão desesperada. Nem preciso comentar o fato de trabalhar nessas condições, de viver num quarto pós-senzala.

Mas o fato de não se mencionar a responsabilidade do pai demonstra o quanto essa sociedade é machista, impondo a obrigação à mulher como se engravidássemos por vírus. É uma demonstração do quanto as construções sociais privilegiam os homens e criam valores que colocam a mulher num lugar de quase impossível transcendência, para usar um termo de Simone de Beauvoir.

Desde muito cedo somos ensinadas que devemos ser mães. Divulgam uma ideia romântica de maternidade e a enfiam goela abaixo, naturalizando esse lugar. Mais além, cria-se a culpa. Não é incomum ouvir "Que mãe é essa que permite isso?" ou "Mãe que é mãe aguenta tudo".

Mas mãe é um ser humano, e não alguém com superpoderes. Por trás de uma mãe que aguenta tudo há uma mulher que desistiu de muita coisa e um pai ausente desculpado pelo patriarcado.

Quem se responsabiliza pelo desespero dessa mulher? Sim, ela abandonou a filha, mas já havia sido abandonada muito antes pelo pai da criança, pelo Estado e por uma sociedade cruel e hipócrita.

Para as meninas quilombolas a hashtag não chega*

Em abril de 2015, foi noticiada a denúncia de trabalho infantil e exploração sexual contra crianças e jovens negras da comunidade quilombola Kalunga, em Cavalcante (GO), cidade localizada na Chapada dos Veadeiros, a 310 quilômetros de Brasília.

Os relatos dos abusos, investigados pela Polícia Civil, foram transmitidos à Secretaria de Políticas de Promoção da Igualdade Racial da Presidência da República (hoje Ministério das Mulheres, da Igualdade Racial e dos Direitos Humanos) pelo presidente da Associação do Quilombo Kalunga de Cavalcante, Vilmar Souza Costa.

O assunto veio à tona numa reportagem da TV Record que denunciava o possível envolvimento de vereadores e ex-vereadores do município em casos de assédio sexual contra crianças e adolescentes negras. Segundo informações da Record, o inquérito dessas denúncias surgiu no final de 2014, a partir de aponta-

---

* Publicado originalmente no blog da *CartaCapital* em 27 de outubro de 2015.

mento do Ministério Público de Goiás, e mostra que Cavalcante registra, em média, cinco inquéritos similares por ano.

Após o caso de Valentina, a participante de doze anos do programa *Masterchef Júnior* que foi vítima de comentários pedófilos nas redes sociais, me lembrei das meninas kalungas.

Houve uma grande repercussão na época da denúncia, mas nada parecido com o que ocorreu com Valentina. Não estou afirmando de modo algum que a violência contra a menina não deveria ser denunciada e apurada, estou tão somente externando um incômodo por não ter visto maior comoção ou grandes sites feministas criando campanhas de apoio às meninas kalungas.

A realidade dessas meninas é bem diferente daquela de Valentina. Trata-se de crianças pobres que desde muito cedo vão trabalhar e ser exploradas em casas de famílias, em troca de alimento. Nesses locais, são abusadas sexualmente pelos patrões. Na comunidade onde vivem não há escolas. Longe dos pais, elas vivenciam maior vulnerabilidade.

Por sofrerem machismo *e* racismo, meninas negras estão muito mais vulneráveis a esse tipo de abuso. Segundo dados da Unicef em sua pesquisa de violência sexual, o perfil das mulheres e meninas exploradas sexualmente aponta para a exclusão social desse grupo.

A maioria é de afrodescendentes, vem de classes populares, tem baixa escolaridade e habita espaços urbanos periféricos ou municípios de baixo desenvolvimento socioeconômico. Muitas dessas adolescentes já sofreram inclusive algum tipo de violência (intra ou extrafamiliar). Ainda segundo essa pesquisa, no Centro-Oeste, o estado de Goiás é o que apresenta a situação mais grave — exatamente onde as meninas kalungas vivem.

Toda a campanha criada no sentido de denunciar esse tipo de violência é válida e necessária, mas é urgente pensarmos a partir de um olhar interseccional para que seja possível contemplar meninas com maior vulnerabilidade, sobretudo negras.

Pesquisei sobre a situação dessas meninas e não encontrei nenhuma informação sobre o andamento do caso. No mundo delas, onde campanhas com hashtag não as alcançam, quem vai impedir que caiam no esquecimento?

Simone de Beauvoir e a imbecilidade sem limites dos outros[*]

Uma questão na prova do Enem de 2015 foi responsável por um verdadeiro show de horror. Ela trazia uma frase da filósofa francesa Simone de Beauvoir, e o tema da redação, relacionado à persistência da violência contra a mulher, causou falsa indignação e respostas tenebrosas por parte de alguns membros da intelligentsia (com muita ironia, por favor) brasileira.

Em sua página de Facebook, o deputado Marco Feliciano desaprovou a questão. Disse se tratar de tentativa de doutrinamento e completou:

> A primeira pergunta apresentado na prova do Enen [sic] deste sábado versa sobre um assunto em que em todas as esferas legislativas de nosso país foi vencida e jogada no lixo, a teoria de gênero, algo que sutilmente tentaram nos incutir de forma sorrateira e re-

---

[*] Publicado originalmente no blog da *CartaCapital* em 3 de novembro de 2015 como "Simone de Beauvoir e a imbecilidade sem limites de Feliciano e Gentili".

chaçada pelos parlamentares eleitos democraticamente pela maioria da população e que todas as pesquisas apontam como maioria de fé cristã e conservadora. [...] Essa frase da filósofa Simone de Beauvoir é apenas opinião pessoal da autora, e me parece que a inserção desse texto, uma escolha adrede, ardilosa e discrepante do que se tem decidido sobre o que se deve ensinar aos nossos jovens.

O promotor de justiça de Sorocaba Jorge Alberto de Oliveira Marum também escreveu um comentário ofensivo e desprovido de reflexão crítica — que rendeu uma nota de repúdio da OAB — sobre Beauvoir em sua página de Facebook: "Exame Nacional-Socialista da Doutrinação Submarxista. Aprendam, jovens: mulher não nasce mulher, nasce uma baranga francesa que não toma banho, não usa sutiã e não se depila. Só depois é pervertida pelo capitalismo opressor e se torna mulher que toma banho, usa sutiã e se depila".

As duas declarações faziam referência à célebre frase de Simone de Beauvoir "Ninguém nasce mulher, torna-se mulher". Para quem estuda Simone de Beauvoir, como eu, foi uma alegria ver uma questão sobre sua obra numa prova de alcance nacional. Beauvoir foi uma intelectual importante que, ao lançar *O segundo sexo*, em 1949, colocou a mulher no centro do debate e rompeu com uma tradição filosófica que a mantinha invisível ou vista a partir do olhar do outro.

Na época, Beauvoir não se entendia como feminista ainda, e pensava a categoria de gênero por uma perspectiva existencialista. Como afirma Margaret Simons, uma das maiores especialistas na autora, posteriormente a obra adquiriu um caráter fundamentalmente político.

Estudar Simone de Beauvoir é de suma importância por conta de suas grandes contribuições filosóficas. Colocar a famosa frase de Beauvoir como "opinião dela" mostra o total desconhecimento de Feliciano de como funciona um sistema filosófico. Maldita *doxa*, diriam os gregos. Fora isso, houve uma tentativa de querer destruí-la como ser humano em vez de questionar científica e politicamente sua obra dentro das condições históricas a qual estava submetida.

Tanto Feliciano como Marum podem discordar do pensamento dela, mas que tenham competência crítico-argumentativa para fazê-lo, em vez de destilar machismo e burrice. Beauvoir realizou um estudo sério. Se for para criticá-lo, ao menos que o façam de forma séria e embasada. Não se pode impedir nem rebaixar a reflexão crítica, claro.

O que Beauvoir quis dizer com a frase "Ninguém nasce mulher, torna-se mulher" não é de difícil entendimento. A filósofa francesa distingue entre a construção do gênero e o "sexo dado", mostrando que não seria possível atribuir às mulheres certos valores e comportamentos sociais como biologicamente determinados. Simples, não é? E faz todo o sentido, porque o ser mulher se impõe; há uma imposição social de como as mulheres devem se comportar.

Diante das várias imbecilidades proferidas, Danilo Gentili não quis ficar de fora. Em seu programa *The Noite*, um de seus convidados fez piadas violentas escancarando o que há de pior no humor brasileiro.

Já escrevi sobre como o humor não está descolado dos valores da cultura, e o convidado de Gentili, Leo Lins, só comprovou isso ao dizer: "Eu já li que a cada doze segundos uma mulher sofre violência no Brasil, mas estou escrevendo a redação há trinta e não vi nenhuma apanhando". E depois: "Também é preciso ver quem fez a pesquisa... como saber se o sangue é de violência ou ciclo menstrual? Afinal, o sangue que sai de um corpo é o mesmo, não importa o buraco". E coisas do tipo.

Após esse show de desrespeito absurdo, uma fã de Gentili criticou o fato de "humoristas" debocharem de um tema tão sério, dizendo que tinha deixado de ser sua fã. Ao que ele respondeu: "Mas você jura por tudo que deixou mesmo de ser minha fã? Eu posso até depositar uma grana pra você me enviar um contrato de que não é mais minha fã. É importante pra mim saber que não tenho fã arrombada".

O cúmulo da falta de respeito e de civilidade.

Debater temas como violência contra a mulher é importante para a sociedade. Há inúmeras pesquisas sérias que comprovam o alto índice de mortes de mulheres por seus companheiros. Logo, debochar disso, revelar falhas de caráter e o que há de mais sujo e baixo é uma forma de concordar com essa violência, de manter as coisas como estão.

Apesar do horror das manifestações de Feliciano, Marum e Gentili, vejo algo de positivo nisso tudo. É urgente que esses temas sejam debatidos e ensinados, e se estão incomodando é porque talvez estejamos no caminho da mudança.

É como diz a conhecida máxima: "Quando os ventos de mudança sopram, umas pessoas levantam barreiras, outras constroem moinhos de vento". As três figuras aqui citadas querem permanecer erguendo as barreiras da ignorância, do desrespeito e do machismo. Façamos moinhos de vento.

"E se sua mãe tivesse te abortado?"*

Em novembro, escrevi com outras feministas um manifesto para uma revista de moda de grande circulação. Logo na capa, nossos nomes anunciavam o que defendíamos para as mulheres. Houve uma grande repercussão, e comentários negativos surgiram.

Nada de novo. Como feminista, já estou habituada a isso e nem me incomodo. Infelizmente, criou-se um mito negativo em torno do feminismo, e muitas pessoas o assimilam sem ter o conhecimento real do que se trata. Porém, uma pessoa revoltada com o fato de que a revista que assinava decidiu abordar um tema de "assassinas", segundo ela, me mandou uma mensagem. Nela, questionava meus posicionamentos políticos e criticava nossa pauta pela descriminalização do aborto. Então veio a pergunta que costumam fazer às feministas: "E se sua mãe tivesse te abortado?".

Essa pergunta é tão sem noção que só me ocorreu pensar: ora, eu não existiria e não seria obrigada a ler uma mensagem como

---

* Publicado originalmente no blog da *CartaCapital* em 21 de dezembro de 2015.

essa. Não respondi a ela — nunca respondo a esse tipo de mensagem acrítica —, mas neste texto dou a resposta: minha mãe tentou me abortar.

Sou a caçula de três irmãos e uma irmã. Quando eu tinha dezesseis anos, minha mãe e eu tivemos uma conversa. Lembro como se fosse hoje: eu estava varrendo a casa e, quando cheguei ao quarto dela, minha mãe estava sentada na cama com um olhar preocupado.

Segui varrendo com má vontade, porque não gostava daquilo, até que ela me pediu para sentar. Começou dizendo que me amava muito e que eu era seu bebê. Falou da alegria de ser minha mãe, então disse: "Espero que você não me odeie depois do que vou te contar. Quando soube que estava grávida de você, entrei em desespero. Seus irmãos ainda eram bebês, eu tinha acabado de ter sua irmã, e não sabia o que fazer. Então, procurei um homem que vendia chás. Expliquei a ele a situação e comprei um. Tomei e aguardei. Depois de um tempo comecei a ficar preocupada porque não fazia efeito nenhum. Voltei a casa do homem e ele disse que também precisava de uma simpatia. Fiz, e nada. Você quis nascer e não teve jeito, então hoje é meu bebê".

Fiquei sem reação na hora. Ela falou do medo que sentiu de eu nascer com algum problema em decorrência do chá, da culpa que veio depois. Olhei em seus olhos e disse: "Mãe, fica tranquila. Eu te amo e você me ama". Ela me abraçou e chorou muito.

Minha mãe nasceu em 1950 numa família rígida. Começou a trabalhar ainda criança no interior de São Paulo e saiu de casa aos dezoito para morar e trabalhar em uma casa de família na capital paulista. Ela soube desde cedo o que era violência institucional. Passou por situações de assédio de patrões e outras violências até conhecer meu pai e os dois se casarem.

Na época em que me contou, eu não soube muito bem o que dizer a ela, mas minha mãe se libertou depois daquela conversa e passamos a ser mais próximas.

Ela morreu quando eu tinha 21, mas hoje, também sendo mãe, se pudesse diria mais coisas. Diria que entendo o medo dela de ter mais uma filha com diferença de um ano para a última; que, apesar de amar meu pai e de ele ter sido ótimo pra mim, entendo o quanto ele foi machista com ela; que entendo que vivemos em um país onde o Estado controla o corpo das mulheres, de modo que elas precisam passar por situações de descaso e desespero. Eu diria que sei que mulheres negras são as maiores vítimas de mortalidade materna e que o racismo institucional na área de saúde ainda mata mulheres como ela diariamente. E abraçaria minha mãe de novo para tentar extirpar todo o medo e toda a angústia que ela sentiu durante minha gestação, além da culpa que carregou sozinha por dezesseis anos.

Talvez este texto também pudesse se chamar "Carta póstuma à minha mãe". Acima de tudo, eu ia olhá-la com ternura nos olhos e dizer: "Mãe, não há o que perdoar. O Estado sabe muito bem o que faz".

Nem mulatas do Gois nem dentro de Grazi Massafera[*]

Em 2016, colunistas de grandes veículos de comunicação ainda se julgam no direito de tratar mulheres negras como coisas. Ancelmo Gois, do jornal *O Globo*, é conhecido como "apreciador de mulatas", e em sua coluna "As mulatas do Gois" segue objetificando seres humanos.

Em uma delas, deu espaço para um homem escolher novas mulheres para seu show de horrores machista. Ele chegou a usar expressões como "nova safra de mulatas", "mulatas sub-20" e "espécie". E eu achando que mulheres negras pertenciam à espécie humana…

Carnaval após Carnaval, vemos muitos se utilizando dessas práticas racistas como se mulheres negras só servissem para isso. Percebem a violência? Podemos apreciar vinhos e queijos, mas não um grupo de seres humanos. Seres humanos não podem ser tratados por safra.

---

[*] Publicado originalmente no blog da *CartaCapital* em 10 de fevereiro de 2016.

No início do mês, eu e a ativista Stephanie Ribeiro escrevemos para um grande jornal um manifesto pelo fim de estereótipos como o da Globeleza. Nesse artigo, criticamos o termo "mulata" e seu uso ofensivo: Para começar o debate em torno dessa personagem, precisamos identificar o problema contido no termo. Além de ser uma palavra naturalizada pela sociedade brasileira, ela é presença cativa no vocabulário dos apresentadores, jornalistas e repórteres da emissora global.

A palavra, de origem espanhola, vem de "mula" ou "mulo": aquilo que é híbrido, originário do cruzamento entre espécies. Mulas são animais nascidos da reprodução de jumentos com éguas ou de cavalos com jumentas. Em outra acepção, são resultado da cópula do animal considerado nobre (*equus caballus*) com o animal dito de segunda classe (*equus africanus asinus*).

Sendo assim, trata-se de uma palavra pejorativa para indicar mestiçagem, impureza, mistura imprópria, que não deveria existir. Empregado desde o período colonial, o termo era usado para designar negros de pele mais clara, frutos do estupro de escravas pelos senhores de engenho. Tal nomenclatura tem cunho machista e racista, e foi transferida à personagem Globeleza. A adjetivação "mulata" é uma memória triste dos mais de três séculos de escravidão negra no Brasil.

Ou seja, esse termo nem sequer deveria ser usado. Raramente vemos mulheres negras sendo convidadas para escrever artigos, apresentando programas, protagonizando novelas, e nessa época do ano querem nos confinar no lugar da mulata.

É inadmissível que em pleno século XXI alguém se sinta no direito de nos retratar de modo tão subumano. As pessoas que fazem a apologia da miscigenação por acaso também abrem espaço para discussão sobre racismo na sociedade?

A crítica de forma alguma se dirige às mulheres que foram "mulatas do Gois". Como penalizá-las, numa sociedade que não dá oportunidades para mulheres negras? Temos que pautar a necessidade da criação de outras possibilidades. E se uma moça negra quiser ser a colunista do jornal? Há espaço para ela?

É sempre bom frisar que não tenho problema algum com a sensualidade ou com a posição de passista, muito pelo contrário. O problema é sempre nos confinar nesses lugares, tratar essas moças como se fossem pedaços de carnes prontos a ser devorados.

Para coroar a falta de noção, a ex-BBB Grazi Massafera foi eleita uma das mulatas do tal colunista. "Tenho uma mulata dentro de mim, não tem como não ter. Eu acho que dentro de quase toda brasileira tem. Em algumas, ela é um pouco mais inibida. A minha é mais assanhada", disse ela.

É o cúmulo da falta de respeito. Primeiro pelo termo, que já explicamos, segundo por colocar mulheres negras como se fossem a mesma coisa, uma categoria homogênea, logo, objetos. Qual mulher negra vive dentro dela? Taís Araújo ou Viola Davis? Mulheres negras são seres diversos, distintos, com personalidades diferentes, e não coisas.

Segundo: para uma loira que está sempre fazendo novelas e séries, dizer que é negra por dentro é fácil, não é mesmo? Se fosse por fora, no entanto, ou seria "mulata do Gois" uma vez por ano ou faria papéis estereotipados. Chega a ser ridícula essa mania que as pessoas brancas têm de querer mostrar que não são racistas. Em vez de realmente se posicionarem contra esse sistema, jogam palavras ao vento que nada mudam.

Nenhuma loira deixou de estrelar campanhas publicitárias e de ganhar papéis de destaque porque tem "uma mulata por dentro". Fora isso, dizer que existe uma mulata dentro de si, no contexto em que vivemos, significa dizer que todas as mulheres negras sabem sambar e fazem as mesmas coisas. Somos predestinadas a um caminho. Sou absolutamente contra a objetificação de mulheres, e sei que isso acontece com mulheres brancas, mas não tanto como com as negras.

O que significaria eu dizer que existe uma loira dentro de mim? Nada. Ninguém presume que uma mulher loira é uma coisa só. Poderiam pensar que falo de uma atriz, modelo ou engenheira nuclear. Não há o mesmo estigma. O fato de loiras também serem objetificadas não exclui o fato de sempre protagonizarem novelas, estamparem capas de revistas e grandes campanhas publicitárias ou apresentarem programas.

Para elas, há várias possibilidades, até de ser "mulata do Gois" por um dia e estrelar uma novela por um ano. Logo, não se pode reduzir um grupo todo de pessoas, como as mulheres negras, à mesma coisa, a uma safra de tomates.

Falta interesse ao branco brasileiro de classe média de se aprofundar em assuntos obrigatórios para que alcancemos um marco civilizatório. Essas pessoas têm acesso a informações e deveriam ler os vários estudos acadêmicos, pesquisas e artigos sobre a questão para evitar passar vergonha. Preferem nos tratar como coisas, inferiores, objetos. Dizer que uma mulata vive dentro de uma branca é negar nossa humanidade.

Mulher negra não faz parte de safra nem é uma "espécie" para deleite de homem machista e racista. Somos pessoas e exigimos respeito.

Vidas negras importam ou a comoção é seletiva?*

Nesta semana faz três meses que ocorreu a chacina de Costa Barros, na qual cinco jovens foram brutalmente assassinados pela Polícia Militar carioca. No total, 111 tiros foram disparados contra o carro onde Wilton, Wesley, Cleiton, Carlos Eduardo e Roberto estavam. Os quatro PMs acusados do assassinato estão presos, mas as famílias dos jovens seguem desamparadas pelo governo do Rio de Janeiro, que nem sequer arcou com as despesas do enterro.

Segundo dados da Anistia Internacional, dos 30 mil jovens vítimas de homicídios por ano, 77% são negros. O movimento negro vem denunciando há tempos o que chama de extermínio da juventude negra.

Em janeiro de 2015, cerca de 2 mil pessoas foram mortas em cinco dias de ataques na cidade de Baga, Nigéria, cometidos pelo grupo terrorista Boko Haram, que desde 2014 estima-se que tenha sequestrado por volta de 2 mil mulheres.

---

* Publicado originalmente no blog da *CartaCapital* em 3 de março de 2016.

O que essas ações terroristas têm em comum? No Brasil, são perpetradas pelo Estado; na Nigéria, por um grupo fundamentalista. Além disso, estamos falando de pessoas negras. Qual foi a reação nacional ao assassinato dos jovens em Costa Barros, de Cláudia Ferreira, de Amarildo? Qual foi a cobertura dada pela mídia para o caso das meninas nigerianas?

Por outro lado, o ataque sofrido por jornalistas do *Charlie Hebdo*, em Paris, também em janeiro de 2015, causou comoção no mundo. Campanhas foram criadas nas redes sociais com o slogan *"Je suis Charlie"*, e a mídia brasileira dedicou boa parte de sua programação a esse fato.

Em novembro de 2015, outro ataque terrorista em Paris, que deixou dezenas de mortos, também causou emoção. Mais campanhas foram criadas, e o Facebook até disponibilizou um filtro com as cores da bandeira da França para que as pessoas colocassem em sua foto de perfil, mostrando solidariedade.

Com isso, de forma alguma quero dizer que as mortes ocorridas em Paris não deveriam ser lamentadas e impor com o que as pessoas devem se emocionar ou não, muito menos criticar quem se comoveu. Não podemos rebaixar a discussão a esse nível.

Minha questão aqui é outra: por que o corpo negro estendido no chão não comove?

Por que não se criou campanha chamada *"Je suis Baga"*? As mortes de negros já estão tão naturalizadas que as pessoas agem como se fossem normal, o que acaba sendo mesmo num Estado racista.

Será que a mente do brasileiro está tão colonizada e sua emoção condicionada a ponto de chorar a morte de franceses e não a morte cotidiana e sistemática do seu próprio povo? Ou de não se importar com o que acontece em países africanos?

A verdade é que as vidas negras não importam dentro da lógica racista. Judith Butler define bem isso em entrevista a George

Yancy, falando do movimento Black Lives Matter, que combate a violência policial contra os negros nos Estados Unidos:

> Quando algumas pessoas refazem a mensagem "vidas negras importam" para "toda vida importa", elas não entendem o problema, ainda que sua mensagem não seja falsa. É verdade que todas as vidas importam, mas é igualmente verdade que nem todas as vidas são construídas para importar. E é justamente por isso que é mais importante nomear as vidas que não importam e que estão lutando para importar do modo que merecem.

E é por isso que nós, do feminismo negro, movimento negro e aliados, seguiremos dizendo: a vida negra importa. E é necessário que, além de chorar essas mortes, essa sociedade se responsabilize por elas. Não esqueceremos.

Xuxa e a fetichização da pobreza[*]

No dia 5 de março, a apresentadora Xuxa postou em sua página do Facebook uma foto, no mínimo, de mau gosto. Nela, a "rainha dos baixinhos" está dentro de seu carro importado, enquanto, do lado de fora, três meninos negros seguram bolinhas sugerindo que trabalham no semáforo, com a seguinte legenda: "Daivison, João e Pedro... meus novos amiguinhos ralando para conseguir um dindin". De imediato, a foto viralizou (foram mais de 5 mil compartilhamentos em dois dias) e várias críticas surgiram.

São tantos os erros que fica difícil nomear. Primeiro, trabalho infantil é crime e não deve ser naturalizado. Ao dizer que os meninos estavam "ralando para conseguir um dindin", Xuxa não percebe a violência no fato de crianças serem submetidas àquele tipo de atividade. Elas lá estão porque a sociedade é desigual e racista — não à toa, os três meninos são negros. É sabido que o Mi-

[*] Publicado originalmente no blog da *CartaCapital* em 7 de março de 2016.

nistério Público incentiva que se denuncie trabalho infantil, e ela o utilizou como forma de se promover nas redes sociais.

Não há nada de lindo naquela imagem: é o retrato de uma sociedade racista que nega oportunidades à população negra enquanto privilegia a branca. Mostra a típica mentalidade do branco médio no Brasil, que finge se importar com os problemas sociais de dentro de sua suv.

Em dezembro, em uma situação semelhante, um homem fotografou um menino negro que trabalhava no sinal sorrindo para a filha dele, um bebê, dentro do carro com ar-condicionado. A legenda dizia: "A sociedade os separa, mas o sorriso os une".

É muita fetichização da pobreza.

Quem é essa sociedade que os separa? Por acaso, trata-se de uma entidade? Por que a criança branca está no conforto do carro e a negra trabalhando? Por que uma tem todas as oportunidades e a outra não?

Essas são questões que importam, ao contrário da propaganda de si mesmo como cidadão de bem, sem se responsabilizar pela sociedade ser como é. A branquitude precisa parar de nos tratar como fetiche e assumir a responsabilidade de mudar a realidade.

Todos deveriam ter vergonha de expor esses meninos. Eles são menores de idade; por acaso houve autorização dos pais ou responsáveis para expô-los? Eles têm direitos, não são parte de um zoológico humano para gente privilegiada. Ou alguém gostaria que se divulgasse uma foto de seu filho, tirada sem autorização?

Tirar fotos com esses meninos não contribui em nada para mudar a situação deles, que seguirão à margem enquanto outros usam sua miséria para se promover.

Passou da hora de as pessoas brancas realmente se posicionarem contra o racismo no Brasil. Elas não podem mais se comportar como sinhás e senhores contemporâneos, que ainda nos querem no lugar determinado para nós.

Não bastasse as quatro gerações de paquitas loiras que causaram danos profundos à autoestima de meninas negras, Xuxa agora quer se passar por humanitária exibindo a exploração infantil. Lugar de criança é na escola, brincando e tendo direito à dignidade.

Chamar esses meninos de amiguinhos, expô-los e seguir com sua vida confortável não significa demonstrar preocupação alguma com a situação deles. Essa é a harmonia das raças que esse país quer, negros do lado de fora do ar-condicionado. A verdadeira consciência social é aquela que quer para os outros a mesma dignidade que tem seu filho. Passou da hora de a branquitude ter limites.

"O racismo é uma problemática branca", diz Grada Kilomba[*]

A convite do Instituto Goethe, Grada Kilomba fez intervenções em São Paulo dentro do evento Massa Revoltante. A escritora, performer e professora da Universidade Humboldt de Berlim também fez a palestra-performance "Descolonizando o conhecimento".

Com origens nas ilhas de São Tomé e Príncipe e em Angola, a artista interdisciplinar portuguesa trabalha com os temas de gênero, raça, trauma e memória. Autora de *Plantation Memories: Episodes of Everyday Racism*, ela acaba de lançar sua mais nova obra, chamada *Performing Knowledge*.

Encontrá-la para uma entrevista foi particularmente especial porque Grada está nas referências bibliográficas da minha pesquisa de mestrado. Foi emocionante poder conhecê-la além de sua obra. Ela parece ocupar um lugar de sublimação: sua fala é otimista e acolhedora, e seu trabalho, como ela mesma diz, "dialoga com as vozes do futuro".

---

[*] Publicado originalmente no blog da *CartaCapital* em 30 de março de 2016.

Como é possível descolonizar nosso pensamento numa sociedade que ainda não nos vê como sujeito?

Parte do processo de descolonização é se fazer essas questões. É perguntar, às vezes não ter a resposta, e fazer novas perguntas. Quando eu trabalho, sou a favor de criar novas questões, e não necessariamente de encontrar as respostas. Às vezes esperamos fazer perguntas tão divinas que ninguém pode responder, perguntas tão absolutas que ficam à espera de uma receita, de uma resposta absoluta. E isso é uma contradição do processo. Acho que o próprio processo de descolonização é fazer novas questões que ajudam a desmantelar o colonialismo.

Também faz parte desse processo aprender a fazer perguntas menores, que fragmentam. Acho isso muito importante. A população branca perguntou durante muito tempo se era racista. É de novo uma pergunta muito absoluta que tem uma resposta muito absoluta.

Qual é o papel do sujeito negro nisso?

Somos pessoas diferentes, sujeitos diferentes. Há dias em que me sinto forte, há dias em que me sinto fraca, há dias em que não quero ver ninguém, há dias em que rio muito. Todo dia é diferente. Há dias em que faço piada, há dias em que choro. Isso faz parte desse processo de humanização, porque o racismo não nos deixa ser humano.

O racismo nos coloca fora da condição humana, e isso é muito violento. Muitas vezes achamos que o alcance dessa humanidade se dá através da idealização. Se o racismo diz que eu não sei, vou dizer que sei ainda mais. E para mim é muito importante desmistificar isso. Quero ser eu, não quero ser idealizada nem inferiorizada. E, assim como todas as pessoas, quero dizer que há dias em que sei e dias em que não sei. Às vezes choro e às vezes rio, às vezes quero e às vezes não quero. Quero ter essa liberdade humana de ser eu.

Aqui no Brasil, durante muito tempo, se negou a existência do racismo, criou-se o mito da democracia racial, e por conta dessas construções muitas pessoas negras não se veem como negras. Como lidar com o racismo nessa situação?

Nasci em Lisboa e só depois de um tempo fui morar em Berlim. Em Lisboa também há toda essa hierarquização de termos como "mulato" e "mestiço". E as pessoas usam o termo sem saber o que quer dizer. São termos ligados a animais híbridos, colocam referências do corpo negro como animal. São depreciativos. É necessário fazer a historicidade desses termos, porque muitas vezes as pessoas acham que são palavras positivas, então é preciso decodificar.

No Brasil temos um movimento muito assimilado, somos muito simpáticos, e o movimento negro que eu vivenciei na Alemanha foi muito bom para mim, porque as coisas são claras. Tivemos uma influência muito grande da maravilhosa escritora e feminista Audre Lorde, que viveu muitos anos em Berlim, o que ajudou a geração anterior à minha a se autodefinir, a deixar uma série de palavras para trás. Vinda dos Estados Unidos, como feminista e lésbica, ela falou muito sobre a importância de uma identidade política. Por isso fizemos vários cartazes para este evento com a afirmação "Branco não é uma cor". Porque branco não é uma cor, é uma afirmação política, assim como negro. Representa uma história de privilégios, escravatura, colonialismo, uma realidade cotidiana. A mudança começa pela autodefinição e pela importância disso. É necessário desmistificar essa hierarquia.

O indivíduo branco não se racializa, geralmente se coloca como universal. Como fazer com que perceba que ser branco é uma afirmação política?

As pessoas brancas não se veem como brancas, se veem como pessoas. E é exatamente esta equação: "Sou branca e por isso sou uma pessoa". Esse ser é a norma, que mantém a estrutura colonial e o racismo. Essa centralidade do homem branco não é marcada. E o que movimentos como o Critical Whiteness e o que eu faço no meu trabalho defendem é justamente que se comece a marcar.

E o que quer dizer marcar? Quer dizer também falar sobre diferenças. Por exemplo, como pessoas negras, muitas vezes, somos referidos como diferentes. E eu coloco a questão: diferente de quem? Quem é diferente? Tu és diferente de mim ou eu sou diferente de ti? Para dizer a verdade, somos reciprocamente diferentes. Então a diferença vem de onde? Eu só me torno diferente se a pessoa branca se vê como ponto de referência, como a norma da qual difiro. Quando me coloco como a norma da qual os outros diferem de mim, aí os outros se tornam diferentes de mim. Então é preciso desconstruir o que é diferença.

Outro ponto importante: muitas vezes nos dizem que fomos discriminados, insultados, violentados porque somos diferentes. Esse é um mito que precisa acabar. Não sou discriminada porque sou diferente, eu me torno diferente através da discriminação. É no momento da discriminação que sou apontada como tal. Precisamos desconstruir o racismo e descolonizar o conhecimento. Às vezes podem soar apenas como palavras, mas possuem uma construção teórica imensa.

Por conta do aumento de pessoas negras nas universidades nos últimos anos e da própria internet, que com seus limites permite que pessoas negras disputem narrativas, há uma reação forte por parte de algumas pessoas brancas de inverter o discurso e dizer que existe "racismo reverso". Dizem que as pessoas negras são agressivas e não permitem o diálogo. Você vê isso como uma forma de querer barrar as narrativas das pessoas negras?

Mais uma vez tem a ver com a desmistificação. Racismo tem a ver com poder, com privilégios. A população negra não tem poder historicamente. Racismo é uma problemática branca, portanto temos que começar pela desmistificação. Dentro de comunidades marginalizadas pode haver preconceito, isso é uma coisa, mas poder é a definição de racismo.

Por sermos vistos como diferentes e por essa diferença ser considerada problemática, ficamos de fora das estruturas de poder. Esse é o racismo estrutural, institucional, acadêmico, do dia a dia etc. Quando sabemos o que é o racismo, sabemos que, independentemente dos conflitos entre as diferentes comunidades, não há racismo inverso. Quando um sistema está habituado a definir tudo, bloquear os espaços e as narrativas, e nós, a partir de um processo de descolonização, começamos a adentrar esses espaços, começamos a narrar e trazer conhecimentos que nunca estiveram presentes nesses lugares, claro que isso é vivenciado como algo ameaçador.

É necessário desistir de certos privilégios. Faz parte do processo que as pessoas precisam aguentar, e eu não vejo como violência, mas vejo o racismo como uma grande violência.

Não se deve dar importância a essas vozes. Precisamos focar nas nossas competências, no modo como estamos transformando as agendas e o discurso. O que me interessa são as pessoas que dialogam comigo, não as outras vozes. Como mulheres negras, feministas que descolonizam o pensamento, precisamos aprender a focar na energia certa.

"Bela, recatada e do lar": Que coisa mais 1792[*]

A revista *Veja* fez uma matéria com Marcela Temer, esposa de Michel de Temer, e logo na manchete a definiu assim: "Bela, recatada e do lar". O texto elogiava o fato de Marcela ser discreta, falar pouco e usar saias na altura do joelho. Para boa feminista, meia imposição basta.

Fica evidente a tentativa da revista de fazer uma oposição ao que Dilma representa. Uma mulher aguerrida, forte, fora do padrão como foi imposto que uma mulher deve se comportar. É como se dissessem: mulher boa é a esposa, a primeira-dama, a que está "por trás de um grande homem".

É evidente a misoginia com que a presidenta Dilma é tratada. Um homem no lugar dela não teria a capacidade questionada nos mesmos termos nem sofreria ataques tão violentos como os que Dilma vem sofrendo daqueles que não respeitam a legalidade.

O discurso criminoso de Jair Bolsonaro no dia da votação

---

[*] Publicado originalmente no blog da *CartaCapital* em 20 de abril de 2016 como "Bela, recatada e do lar: Matéria da *Veja* é tão 1792".

ilegítima do impeachment na Câmara mostra isso. Ele fez alusão ao coronel Ustra, homem que comandou o Doi-Codi, e o chamou de "pavor de Dilma", que foi torturada na ditadura. Independentemente das críticas que se tenha ao governo, o machismo é evidente.

A matéria da *Veja* confirma isso ao enaltecer Marcela Temer como a mulher que todas deveriam ser — à sombra, nunca à frente. Destaco que não critico aqui Marcela e mulheres que adotam estilo parecido. O problema é julgar que esse deva ser o padrão, é não respeitar a mulher como ser humano, como alguém que pode estar num lugar de liderança, que tem o direito de ser como quiser sem julgamentos à sua moral ou capacidade.

Quando li a matéria me lembrei das revistas "femininas" da década de 1950, que trabalhavam com o estereótipo da dona de casa feliz, sempre arrumada e maquiada. Mas aí também lembrei que, em 1792, Mary Wollstonecraft já criticava essas imposições no livro *Reivindicação dos direitos da mulher*, um clássico feminista. Sobretudo no capítulo intitulado "Censuras a alguns dos escritores que têm tornado as mulheres objetos de piedade, quase de desprezo", ela critica o modo pelo qual alguns escritores e pensadores nos retratam.

Mesmo aqueles considerados iluministas não faziam uso da razão quando o assunto era a mulher. Em um trecho no qual critica Rousseau, Wollstonecraft diz que ele: "[...] passa a provar que a mulher deve ser fraca e passiva, porque tem menos força física do que o homem; e, assim, infere que ela foi feita para agradar e ser subjugada por ele e que é seu dever se fazer agradável a seu mestre — sendo este o grande fim de sua existência".

O lado bom da reportagem da *Veja* foi a campanha virtual que feministas lançaram em seguida. Várias postaram fotos fazendo coisas que a sociedade acredita não serem apropriadas a uma mulher usando a hashtag #belarecatadaedolar.

Há fotos de mulheres bebendo no bar, trabalhando, com roupas curtas, tudo com o objetivo de mostrar que lugar de mulher é onde ela escolhe estar. Percebe-se como, apesar de alguns avanços que tivemos, a mentalidade machista perdura e ainda é tão 1792...

O que a miscigenação tem a ver com a cultura do estupro?*

Em um país em que a cada onze minutos uma mulher é violentada, não se pode tratar o estupro como um tema pontual. Nesse mesmo país, a cada cinco minutos uma mulher é agredida, o que comprova que existe uma cultura de violência contra a mulher.

Em *Mulheres, raça e classe*, a filósofa Angela Davis aborda o fato de mulheres negras não serem tratadas como frágeis e castas, sempre tendo precisado realizar trabalhos que exigiam o uso da força. Ela inicia o livro com o capítulo "O legado da escravatura: Bases para uma nova natureza feminina", em que fala sobre como a mulher negra escravizada era tratada de modo a ofuscar uma "natureza feminina", uma vez que eram forçadas a desempenhar o mesmo trabalho dos homens negros escravizados. O que as diferenciavam dos homens, e essa é a diferença crucial, era o fato de terem seus corpos violados pelo estupro.

---

* Publicado originalmente na *CartaCapital* em 8 de junho de 2016 como "Cultura do estupro: O que a miscigenação tem a ver com isso?".

Essa outra construção de feminino contrasta diretamente com aquela que as mulheres brancas lutarão para derrubar: a da mulher frágil, submissa e dependente do homem. A mulher negra ter sido submetida a esse tipo de violência sistematicamente evidencia uma relação direta entre a colonização e a cultura do estupro.

No Brasil, as mulheres negras tiveram essa mesma experiência. É importante ressaltar que a miscigenação muitas vezes louvada no país também foi fruto de estupros cometidos contra elas. Essa tentativa de romantização da miscigenação procura escamotear a violência.

Atualmente, esse ainda é o grupo de mulheres mais violentado e que mais sofre violência doméstica. Segundo dados da pesquisa sobre violência sexual da Unicef, o perfil das mulheres e meninas exploradas sexualmente aponta para a exclusão social desse grupo.

Por mais que todas as mulheres estejam sujeitas a esse tipo de violência, é importante observar o grupo que está mais suscetível a ela, já que seus corpos vêm sendo desumanizados e ultrassexualizados historicamente. Esses estereótipos racistas contribuem para a cultura de violência contra essas mulheres, que são vistas como lascivas, "fáceis", indignas de respeito.

Recomendo a leitura sobre Sarah Baartman, a Vênus de Hotentote. Nascida na região da África do Sul em 1789, ela foi levada à Europa e exibida em espetáculos públicos, circenses e científicos por ter traços corporais considerados "exóticos".

Segundo a estudiosa Janaína Damasceno, Sarah Baartman deu um corpo à teoria racista. Não importa aonde vamos, a marca é carregada. Mesmo após sua morte, seu corpo seguiu sendo explorado. Partes dele, incluindo as íntimas, ficaram à exposição no Museu do Homem, em Paris, França, até 1975. Apenas em 2002 seus restos mortais foram devolvidos à África do Sul a pedido de Nelson Mandela.

Com base nesses fatos históricos, podemos dizer que no Brasil há uma relação direta entre colonização e cultura do estupro. E precisamos falar a respeito.

Eduardo Paes e a desumanização da mulher negra[*]

Em 26 de agosto começou a circular pela internet um vídeo sem data ou local identificado com o então prefeito do Rio de Janeiro, Eduardo Paes (PMDB-RJ), fazendo uma entrega de imóveis. Paes faz piadas de cunho sexual, ofendendo uma mulher negra visivelmente incomodada com a situação.

O prefeito carioca e a mulher, chamada para receber as chaves do imóvel, entram na casa. Ao chegarem ao quarto, Paes diz: "Vai trepar muito aqui neste quartinho". Não satisfeito, ele pergunta se a moça é casada e emenda: "Vai trazer muito namorado pra cá. Rita faz muito sexo aqui". Como se a humilhação não fosse suficiente, Paes, já do lado de fora, grita para os vizinhos da moça que acompanhavam a entrega. "Ela disse que vai fazer muito canguru perneta aqui. Tá liberado, hein? A senha primeiro." Visivelmente envergonhada, a moça se afasta e diz que vai trancar a porta de casa.

---

[*] Publicado originalmente no blog da *CartaCapital* em 29 de agosto de 2016 como "'Vai trepar muito no quartinho': Paes e a desumanização da mulher negra".

Esse comportamento de Paes diz muito sobre o discurso autorizado e como algumas pessoas se sentem confortáveis em reduzir um ser humano ao seu corpo. Numa sociedade racista e machista como a brasileira, mulheres negras são hiperssexualizadas e tratadas como objetos sexuais. E a relação entre colonização e cultura do estupro é direta: no período colonial, as mulheres negras eram estupradas e violentadas sistematicamente.

Mulher negra não é humana, é a quente, a lasciva, a que só serve para sexo e não se apresenta à família. Também é o grupo mais estuprado no Brasil, já que essas construções sobre seus corpos servem para justificar a violência que sofrem. "Qual o problema em passar a mão? Elas gostam" é a ideia reinante.

Qual é o problema em humilhá-la dizendo "Vai trepar muito aqui neste quartinho" e gritar para o público "Ela disse que vai fazer muito canguru perneta aqui", enquanto a mulher se tranca com aquele olhar que só quem passa por isso entende?

O Brasil é o país da cordialidade violenta, em que homens brancos se sentem autorizados a aviltar uma mulher negra e depois dizer que foi só brincadeira, ou se esconder na pecha de que carioca é desbocado. O país que foi o último do mundo a abolir a escravidão e no qual a população negra é acusada de violenta se denuncia o racismo. O país onde todos adoram samba e Carnaval, mas onde se mata mais negros no mundo. O brasileiro não é cordial. O brasileiro é racista.

A atitude de Paes não é algo isolado, é tão somente o modo pelo qual essa sociedade vem historicamente tratando as vidas negras: com desprezo e desumanidade. Uma mulher branca de classe média seria tratada da mesma forma? O fato de o prefeito se referir ao cômodo como "quartinho" também mostra o racismo institucionalizado.

Imóveis para pessoas de baixa renda comumente são bem pequenos. É como se dissessem "para quem não tinha nada, está bom". Sem mencionar que essas pessoas não têm nada justamente porque o Estado é omisso em relação a elas. Os políticos deixam explícito que a população pobre merece migalhas, e não dignidade.

É inadmissível o modo como essa mulher foi tratada. Um jornal de grande circulação definiu a atitude de Paes como "gafe". Gafe seria se ele tivesse quebrado um vaso ou errado o nome de alguém. O que o prefeito fez tem nome: racismo. Paes cumpre à risca seu papel ridículo e violento de herdeiro da casa-grande.

Feminismo negro para um novo marco civilizatório[*]

> É essencial para o prosseguimento da luta feminista que as mulheres negras reconheçam a vantagem especial que nossa perspectiva de marginalidade nos dá e façam uso dessa perspectiva para criticar a dominação racista, classista e sexista, para refutá-la e criar uma contra-hegemonia. Estou sugerindo que temos um papel central a desempenhar na realização da teoria feminista e uma contribuição a oferecer que é única e valiosa.

Essa citação de bell hooks sintetiza a importância do feminismo negro para o debate político. Pensar como as opressões se combinam e se entrecruzam, gerando outras formas de opressão, é fundamental para se considerar outras possibilidades de existência. Além disso, o arcabouço teórico e crítico trazido pelo feminismo negro serve como instrumento para se pensar não ape-

[*] Publicado originalmente na *Revista Internacional de Direitos Humanos* em novembro de 2016.

nas sobre as próprias mulheres negras, categoria também diversa, mas sobre o modelo de sociedade que queremos.

Mulheres negras vêm historicamente pensando a categoria "mulher" de forma não universal e crítica, apontando sempre para a necessidade de se perceber outras possibilidades de ser mulher. Angela Davis é uma pensadora que, mesmo antes de o conceito de interseccionalidade ser evidenciado, considerava as opressões estruturais como indissociáveis. Em *Mulheres, raça e classe*, de 1981, ela enfatiza a importância de utilizar outros parâmetros para a feminilidade e denuncia o racismo existente no movimento feminista, além de fazer uma análise anticapitalista, antirracista e antissexista.

Apesar de várias feministas negras já se utilizarem de uma análise interseccional antes disso, o conceito só foi cunhado em 1989 por Kimberlé Crenshaw, em sua tese de doutorado.

A interseccionalidade é uma conceituação do problema que busca capturar as consequências estruturais e dinâmicas da interação entre dois ou mais eixos da subordinação. Ela trata especificamente da forma pela qual o racismo, o patriarcalismo, a opressão de classe e outros sistemas discriminatórios criam desigualdades básicas que estruturam as posições relativas de mulheres, raças, etnias, classes e outras.

Pensar a interseccionalidade é perceber que não pode haver primazia de uma opressão sobre as outras e que é preciso romper com a estrutura. É pensar que raça, classe e gênero não podem ser categorias pensadas de forma isolada, porque são indissociáveis.

No Brasil, o feminismo negro começa a ganhar força nos anos 1980. Segundo Núbia Moreira:

a relação das mulheres negras com o movimento feminista se estabelece a partir do III Encontro Feminista Latino-Americano ocorrido em Bertioga em 1985, de onde emerge a organização atual de mulheres negras com expressão coletiva com o intuito de adquirir visibilidade política no campo feminista.

A partir daí, surgem os primeiros coletivos de mulheres negras, época em que aconteceram alguns encontros estaduais e nacionais de mulheres negras.

Surgem organizações importantes como Geledés, Fala Preta e Criola, além de inúmeros coletivos e de uma vasta produção intelectual. Nesse sentido, Lélia Gonzales surge como um grande nome a ser debatido e estudado. Além de colocar a mulher negra no centro do debate, ela vê a hierarquização de saberes como produto da classificação racial da população, uma vez que o modelo valorizado e universal é branco. Segundo essa autora, o racismo se constituiu "como a 'ciência' da superioridade eurocristã (branca e patriarcal), na medida em que se estruturava o modelo ariano de explicação".

Dentro da mesma lógica, a teoria feminista também acaba incorporando isso e estruturando o discurso das mulheres brancas como dominante. Assim, contradiscursos e contranarrativas não são importantes somente num sentido epistemológico, mas também no de reivindicação de existência. A invisibilidade da mulher negra dentro da pauta feminista faz com que ela não tenha seus problemas nem ao menos nomeados. E não se pensa em saídas emancipatórias para problemas que nem sequer foram ditos. A ausência também é ideologia.

Muitas feministas negras pautam a questão da quebra do silêncio como primordial para a sobrevivência das mulheres negras. Angela Davis, Audre Lorde e Alice Walker abordam a importância do falar em suas obras. "O silêncio não vai te proteger", diz Lorde. "Não pode ser seu amigo quem exige seu silêncio", diz

Walker. "A unidade negra foi construída em cima do silêncio da mulher negra", diz Davis. Essas autoras estão falando sobre a necessidade de não se calar ante opressões como forma de manter uma suposta unidade entre grupos oprimidos, ou seja, alertam para a importância de que ser oprimido não pode ser utilizado como desculpa para legitimar a opressão.

A questão do silêncio também pode ser estendida a um silêncio epistemológico e de prática política dentro do movimento feminista. O silêncio em relação à realidade das mulheres negras não as coloca como sujeitos políticos. Um silêncio que, por exemplo, fez com que nos últimos dez anos o número de assassinatos de mulheres negras tenha aumentado quase 55%, enquanto o de mulheres brancas caiu em 10%, segundo o Mapa da Violência de 2015. Falta um olhar étnico-racial para políticas de enfrentamento da violência contra a mulher. A combinação de opressões coloca a mulher negra num lugar no qual somente a interseccionalidade permite uma verdadeira prática, que não negue identidades em detrimentos de outras.

A pesquisadora Grada Kilomba afirma:

Por não serem nem brancas nem homens, as mulheres negras ocupam uma posição muito difícil na sociedade supremacista branca. Representamos uma espécie de carência dupla, uma dupla alteridade, já que somos a antítese de ambos, branquitude e masculinidade. Nesse esquema, a mulher negra só pode ser o outro, e nunca si mesma. [...] Mulheres brancas têm um oscilante status, enquanto si mesmas e enquanto o "outro" do homem branco, pois são brancas, mas não homens; homens negros exercem a função de oponentes dos homens brancos, por serem possíveis competidores na conquista das mulheres brancas, pois são homens, mas não brancos; mulheres negras, entretanto, não são nem brancas nem homens, e exercem a função de "outro" do outro.

Aqui, Kilomba discorda da categorização feita por Simone de Beauvoir. Para a filósofa francesa, não há reciprocidade: a mulher sempre é vista pelo olhar do homem num lugar de subordinação, como o outro absoluto. Mas a afirmação de Beauvoir diz respeito a um modo de ser mulher — no caso, mulher branca. Kilomba, além de sofisticar a análise, inclui a mulher negra em seu comparativo. Para ela, existe reciprocidade entre mulher branca e homem branco e entre mulher branca e homem negro, existe um status oscilante que pode permitir que a mulher branca se coloque como sujeito. Mas Kilomba rejeita a fixidez desse status. Mulheres brancas podem ser vistas como sujeitos em dados momentos, assim como o homem negro. Já Beauvoir diz:

> Ora, o que define de maneira singular a situação da mulher é que, sendo, como todo ser humano, uma liberdade autônoma, descobre-se e escolhe-se num mundo em que os homens lhe impõem a condição de outro. Pretende-se torná-la objeto, votá-la à imanência, porquanto sua transcendência será perpetuamente transcendida por outra consciência essencial e soberana.

Kilomba, além de mostrar que mulheres possuem situações diferentes, rompe com a universalidade em relação aos homens também mostrando que a realidade dos homens brancos não é a mesma da dos homens negros, e que em relação a estes deve-se fazer a pergunta: de quais homens estamos falando? Reconhecer o status de mulheres brancas e homens negros como oscilante nos possibilita enxergar as especificidades e romper com a invisibilidade da realidade das mulheres negras. Para Kilomba, ser essa antítese de branquitude e masculinidade impossibilita que a mulher negra seja vista como sujeito. Nos termos de Beauvoir, seria a mulher negra, então, o outro absoluto. Tanto o olhar de homens brancos quanto de negros e de mulheres brancas confinaria a mulher negra a um local de subalternidade muito mais difícil de ser ultrapassado.

Numa sociedade de herança escravocrata, patriarcal e classista, cada vez mais se torna necessário o aporte teórico e prático que o feminismo negro traz para pensarmos um novo marco civilizatório.

O mito da mulher moderna[*]

Em *O segundo sexo*, Simone de Beauvoir refuta o que chama de "eterno feminino", imposições criadas acerca do "ser mulher" em nossa sociedade, comportamentos esperados com base numa visão determinista. A visão, por exemplo, de que mulheres são naturalmente frágeis, maternais, sensíveis e ligadas ao ambiente doméstico.

No mesmo livro, Beauvoir fala da importância de não pensar a situação em termos de felicidade, mas de oportunidades concretas. Numa sociedade machista, o ideal de felicidade também carrega esses valores. Quando partimos da condição concreta, conseguimos de fato explicitar as desigualdades e apontar o menor número de possibilidades oferecidas às mulheres.

Em dado momento, ela fala da "mulher moderna", assim, entre aspas, pois também foi criado um modelo para essa definição. Nos anos 1950, as revistas publicavam propagandas de donas de casa com aspiradores de pó e eletrodomésticos como a repre-

[*] Publicado originalmente no blog da *CartaCapital* em 5 de junho de 2017.

sentação dessa mulher moderna e feliz. Quando se atualiza a preocupação de Beauvoir, podemos apontar diversas propagandas que glorificam aquela mulher que consegue dar conta de tudo e ainda manter um sorriso no rosto. Ela trabalha, é bem-sucedida, cuida da casa, dos filhos e consegue estar sempre bonita — leia-se magra — para o marido.

Então o que mudou? Muitas mulheres se sentem modernas por possuir um smartphone com um aplicativo que avisa quando virá a menstruação, ou uma geladeira de inox com dispositivo de gelo externo, e forno que desliga sozinho. Isso tudo sem se dar conta de que ainda são as responsáveis por fazer as compras, limpar a geladeira e cozinhar, por mais moderno que o eletrodoméstico seja.

Há aqui a confusão de atrelar valores democráticos a valores capitalistas. De confundir emancipação e ascensão econômica. Ela trabalha fora, mas quando chega em casa ainda é responsável por cuidar dos filhos e pelos afazeres domésticos. A mentalidade de fato não mudou — os mecanismos de opressão somente se atualizaram.

O mais prejudicial é que se cria a ideia de que ser bem-sucedida é possuir os mesmos direitos que o homem branco, e não romper com as lógicas da opressão. É fazer parte do sistema sem transformá-lo de fato. As mulheres que perseguem esse ideal não estão necessariamente preocupadas com as negras e pobres que trabalham em suas casas ou em discutir as várias possibilidades de ser mulher e enxergar seus privilégios.

Para Beauvoir e diversas feministas negras, como Angela Davis, a emancipação precisa ser radical. Não é emancipação se iludir com novas tecnologias, enquanto persiste a divisão sexual do trabalho, enquanto o eterno feminino se impõe. Muito menos seguir numa lógica de exclusão com outros grupos. Nesse sentido, é preciso cuidar para que os conceitos e as ferramentas políticas pensadas por feministas diversas não sejam esvaziados de sentido. Atentar-se para o interesse de marcas com a questão, que, na maioria das vezes, é superficial e temporário. Logo, é fundamental questionar as marcas que se envolvem com o tema, confirmar se existe política de diversidade na empresa, se existem programas para mulheres que são mães e afins, para além da camiseta com "girl power" escrito.

Obviamente, existe uma relação dialética: se hoje há um interesse maior por essas pautas, é porque os movimentos ao longo da história têm conseguido tirar das sombras questões extremamente importantes. Trazer à tona algumas problemáticas é o primeiro passo para a dignidade de certos grupos. É preciso nomear, ensinaram às feministas negras. Há de se cuidar, no entanto, para que não ocorra uma apropriação puramente mercadológica, incapaz de produzir mudanças de fato. Em outras palavras, é urgente pensar para além da representatividade, inegavelmente importante, mas cheia de limites.

De volta a Beauvoir: precisamos discutir a partir da experiência vivida, da concretude. Enquanto persistirem as desigualdades e as imposições de papéis sociais, não será possível considerar nenhuma mulher moderna, por mais que ela tenha o último modelo de smartphone, produzido dentro da lógica capitalista de exploração. E o mesmo acontece se acreditarmos que o progresso está ligado à manutenção de desigualdades para o benefício de um grupo social.

Pensar feminismos é pensar projetos. Essa é a utopia pensada por Angela Davis a que precisamos almejar.

Racismo: Manual para os sem-noção[*]

É muito comum, infelizmente, deturparem a luta feminista antirracista, reproduzindo o senso comum e até ofensas. Por conta dessa situação, montei um pequeno manual didático. Vamos a ele.

"VOCÊ TEM QUE ACEITAR OPINIÕES DIFERENTES"

Prezado(a) branco(a), se você é palmeirense e acha que o Corinthians é pior, tudo bem, posso aceitar. Se prefere carne cozida sem cenoura, o.k. Mas dizer que beleza é uma questão de opinião, não dá. O racismo está na base da construção do belo. Cansei de ouvir: "Nossa, você é uma negra bonita" (com ar de surpresa) ou "Você é a negra mais bonita que conheço".

Negras, claro, são feias por natureza. Ninguém diz que uma mulher branca é uma "branca bonita". Dizem apenas que é "bonita". Uma negra só pode ser bonita entre outras negras. Gostam de

[*] Publicado originalmente no blog da *CartaCapital* em 22 de junho de 2017.

hierarquizar nossa beleza. E a clássica "Você dá de dez a zero em muita branca por aí"? Que elogio!

"NÃO GOSTAR DE SE RELACIONAR COM NEGRAS NÃO TEM NADA A VER COM RACISMO, NINGUÉM MANDA NO AMOR"

O amor nunca escolhe as negras. Engraçado. Segundo o IBGE, elas são aquelas que menos se casam e são a maioria das mães solteiras. Trabalhos acadêmicos como *A solidão da mulher negra: Sua subjetividade e seu preterimento pelo homem negro na cidade de São Paulo*, de Claudete Alves, revelam a solidão afetiva da mulher negra.

Se o racismo tem um papel preponderante na construção dos padrões de beleza, consequentemente também terá na construção do desejo. Olhem as revistas. Liguem a TV. Qual é a "mulher ideal"? Quantas de nós foram preteridas pelo simples fato de ser negras? Como falar em gosto pessoal quando a esmagadora maioria pretere mulheres negras? Como falar em escolha do indivíduo quando essas escolhas não nos escolhem? Desculpem o trocadilho.

"VOCÊS VEEM RACISMO EM TUDO"

Adivinhe... O racismo é um elemento estruturante da sociedade. Foram mais de trezentos anos de escravidão e medidas institucionais para impedir a mobilidade social da população negra. E você vem dizer que agora tudo é racismo. Quando nasceu? Tem certeza de que é deste planeta?

Ninguém fala em racismo por ser gostoso ou por não ter mais nada para fazer da vida. Ninguém gosta de bater na mesma tecla, mas a sociedade não dá outra opção.

Mesmo um alienígena que tivesse chegado ontem e dado uma olhada bem rápida teria notado o racismo latente na sociedade.

"VOCÊS PRECISAM CRIAR UMA FORMA DE UNIR AS MULHERES, E NÃO SEPARAR"

A sociedade é dividida. Como bem nos ensina Sueli Carneiro, o racismo cria uma hierarquia de gênero que coloca a mulher negra na situação de maior vulnerabilidade social. Logo, é preciso nomear essa realidade, porque não se pensa em uma solução para um problema nem sequer pronunciado. Existem várias possibilidades de ser mulher e, justamente porque ela foi universalizada tendo como base a mulher branca, é preciso dizer isso. Não se trata de competição, mas de fatos históricos, dados de pesquisa.

Você quer destruir uma realidade impondo a sua como universal e ainda cobra formas de dialogar quando existe uma vasta bibliografia sobre o tema? Não sofremos de forma igual. A violência de gênero atinge todas as mulheres, mas atinge de forma mais grave aquelas que combinam mais de uma opressão. Se insistir no assunto, reclame com o Ipea, que desenvolveu um material ótimo chamado *Dossiê das mulheres negras*.

"ACHO AS MULHERES MUITO AGRESSIVAS E VIOLENTAS NA HORA DE REIVINDICAR"

Primeiro: defina violência. Segundo: estamos aqui para trazer narrativas de incômodo mesmo, como diz Audre Lorde. Estamos com raiva e temos esse direito. Você também estaria se vivesse uma realidade violenta e desumana. Se rissem e excluíssem você desde a infância pelo fato de ser negra. E, por fim, não cabe ao opressor dizer ao oprimido como ele deve reagir à violência.

"AMO A COR DE VOCÊS, MULHERES NEGRAS SÃO EXÓTICAS"

Mulheres negras não são animais raros para ser consideradas exóticas. Somos, aliás, a maioria das mulheres no Brasil. Referir-se a um grupo dessa forma é se colocar como superior. Sabia que durante muito tempo negros e negras foram expostos em zoológicos humanos baseados nessa crença? Trate os negros e as negras com naturalidade, e não com condescendência, como se fossem extraterrestres. Faça como com os brancos, sem alarde ou surpresa. Se quiser ser negra, informo: o racismo faz parte do combo.

O que é o empoderamento feminino?*

O termo "empoderamento" muitas vezes é mal interpretado. Por vezes é entendido como algo individual ou a tomada de poder para se perpetuar opressões. Para o feminismo negro, possui um significado coletivo. Trata-se de empoderar a si e aos outros e colocar as mulheres como sujeitos ativos da mudança.

Como diz bell hooks, o empoderamento diz respeito a mudanças sociais numa perspectiva antirracista, antielitista e antissexista, por meio das mudanças das instituições sociais e das consciências individuais. Para ela, é necessário criar estratégias de empoderamento no cotidiano e em nossas experiências habituais no sentido de reivindicar nosso direito à humanidade.

Logo, o empoderamento sob essa perspectiva significa o comprometimento com a luta pela equidade. Não é a causa de um indivíduo de forma isolada, mas como ele promove o fortalecimento de outros com o objetivo de alcançar uma sociedade mais

---

* Publicado originalmente no blog da *CartaCapital* em 25 de setembro de 2017.

justa para as mulheres. É perceber que uma conquista individual não pode estar descolada da análise política.

O empoderamento não pode ser autocentrado, parte de uma visão liberal, ou somente transferência de poder. Vai além. Significa ter consciência dos problemas que nos afligem e criar mecanismos para combatê-los. Quando uma mulher se empodera, tem condições de empoderar outras.

Cada mulher pode criar em seu espaço de atuação formas de empoderar outras. Se for empregadora, pode criar um ambiente de trabalho no qual exista o respeito e que possa atender à demanda de mulheres, principalmente daquelas que são mães, além de se certificar de que não há desigualdade salarial e assédio.

Se for professora, a mulher pode estar atenta aos xingamentos machistas muitas vezes naturalizados como brincadeiras ou chacotas de crianças. Tentar promover discussões em salas de aula que levem à reflexão sobre a situação das mulheres. Criar um grupo na comunidade ou associação do bairro para discutir estratégias de apoio a outras mulheres ou o enfrentamento da violência que possam vir a sofrer.

Empoderamento implica uma ação coletiva desenvolvida pelos indivíduos quando participam de espaços privilegiados de decisões, de consciência social dos direitos. Essa consciência ultrapassa a tomada de iniciativa individual de conhecimento e superação da realidade na qual se encontra. É uma nova concepção de poder que produz resultados democráticos e coletivos.

É promover uma mudança numa sociedade dominada pelos homens e fornecer outras possibilidades de existência e comunidade. É enfrentar a naturalização das relações de poder desiguais entre gêneros e lutar por um olhar que vise a igualdade e o confronto com os privilégios que essas relações destinam aos homens. É a busca pelo direito à autonomia por suas escolhas, por seu corpo, por sua sexualidade.

Estrangeira no próprio país[*]

Estive em Oslo entre 7 e 14 de outubro de 2017 a convite da embaixada norueguesa no Brasil. Participei de uma série de encontros com representantes do governo, do sindicato de jornalistas, de movimentos sociais e de institutos de pesquisa. Foi uma experiência incrível de troca e aprendizado.

Um dos meus compromissos era ministrar duas palestras, uma na Universidade de Oslo e outra na Embaixada do Brasil na mesma cidade. Nesta última, várias brasileiras que moram na capital norueguesa estiveram presentes. Ao fim do seminário, uma delas fez uma pergunta que me levou a refletir bastante.

Ela contou que era filha da mistura entre negro e branco, mas que, por ter a pele clara, era considerada branca no Brasil. Por conta disso, nunca refletia sobre o racismo. Na Noruega, percebeu que não era branca — os noruegueses não a viam como tal e se confundiam com sua origem. Ela notou que era identificada como o "outro", alguém que não é branca e que ainda é estrangeira.

---

[*] Publicado originalmente no blog da *CartaCapital* em 6 de novembro de 2017.

A partir daquele choque de realidade, ela passou a questionar seu papel. Ao sentir na pele como era ser olhada como alguém que não se encaixava, atinou para a necessidade de se posicionar. "Só fui perceber isso na vida adulta. Quando volto para o Brasil, sou tratada com respeito, deixo de ser estrangeira ou estranha", ela comentou. "Você, como mulher negra, sabe bem o que é sofrer com essa dupla violência, inclusive em seu próprio país. Como é para você ser estrangeira em seu próprio país?", a mulher perguntou então.

Demorei um tempo para processar a densidade daquela pergunta. É exatamente esse o sentimento que me acomete. É duro, inclusive, ter de admitir que na maioria das vezes sou mais bem tratada fora do que no Brasil.

Em seu livro *Plantation Memories: Episodes of Everyday Racism*, Grada Kilomba afirma que a mulher negra é o "outro do outro", por ser essa dupla antítese de branquitude e masculinidade. Alguém que não é pensada a partir de si mesma, mas por meio do olhar masculino e branco.

A cada seguida de segurança na loja, a cada olhar de estranhamento quando estou em lugares que julgam não ser para mim, a cada "Você deveria ser passista, e não estudar filosofia", a cada reportagem mostrando os números absurdos de assassinatos de jovens negros, de mulheres negras assassinadas, sei bem o que essa moça quis dizer.

Quando ligo a TV e vejo pouquíssimos negros, é como se morasse na Escandinávia. Ser negra brasileira é se sentir estrangeira no próprio país.

Patricia Hill Collins, intelectual estadunidense, afirma que o local que as mulheres negras ocupam dentro do movimento feminista é o de "forasteira de dentro". Por estar e ao mesmo tempo não estar, entende esse lugar como um espaço de fronteira ocupado por grupos com poder desigual, pois, ainda que estejam dentro de algumas instituições, essas mulheres não são tratadas como iguais.

Collins aponta, porém, a necessidade de se tirar proveito desse lugar. O fato de sermos estrangeiras nos possibilita estar num espaço de fronteira, num "não lugar" que pode ser doloroso, mas também um lugar de potência.

Reconfigurar o mundo por meio de outros olhares pode ser uma perspectiva poderosa, já que é capaz de gerar algum pertencimento que não seja a uma sociedade doente e desigual.

A Mulata Globeleza: Um manifesto[*]

A Mulata Globeleza não é um evento cultural natural, mas uma performance que invade o imaginário e as televisões brasileiras na época do Carnaval. Um espetáculo criado pelo diretor de arte Hans Donner para ser o símbolo da festa popular, que exibiu durante treze anos sua companheira Valéria Valenssa na função superexpositiva de "mulata". Estamos falando de uma personagem que surgiu na década de 1990 e até hoje segue à risca o mesmo roteiro: uma mulher negra que samba como uma passista, nua com o corpo pintado de purpurina, ao som da vinheta exibida ao longo da programação diária da Rede Globo.

Para começar o debate em torno dessa personagem, precisamos identificar o problema contido no termo "mulata". Além de ser uma palavra naturalizada pela sociedade brasileira, é presença cativa no vocabulário dos apresentadores, jornalistas e repórteres da emissora global. A palavra de origem espanhola vem de "mula"

---

[*] Escrito em parceria com Stephanie Ribeiro e publicado originalmente na *Folha de S.Paulo* em 29 de janeiro de 2016.

ou "mulo": aquilo que é híbrido, originário do cruzamento entre espécies. Mulas são animais nascidos da reprodução dos jumentos com éguas ou dos cavalos com jumentas. Em outra acepção, são resultado da cópula do animal considerado nobre (*equus caballus*) com o animal tido de segunda classe (*equus africanus asinus*). Sendo assim, trata-se de uma palavra pejorativa que indica mestiçagem, impureza, mistura imprópria que não deveria existir.

Empregado desde o período colonial, o termo era usado para designar negros de pele mais clara, frutos do estupro de escravas pelos senhores de engenho. Tal nomenclatura tem cunho machista e racista e foi transferida à personagem Globeleza. A adjetivação é uma memória triste dos 354 anos de escravidão negra no Brasil.

A mulher negra exposta como Globeleza segue, inclusive, um padrão de seleção estética próxima ao feito pelos senhores de engenho ao escolher as mulheres escravizadas que queriam perto de si. As consideradas "bonitas" eram escolhidas para trabalhar na casa-grande. Da mesma forma, eram selecionadas as futuras vítimas de assédio, intimidação e estupro. Mulheres negras eram submetidas ao jugo "dos donos". Era comum que as escravas de pele mais clara, com traços mais próximos do que a branquitude propaga como belo, assumissem os postos na casa-grande. Seus corpos não eram vistos como propriedade delas, prestavam apenas para ser explorados em trabalhos servis exaustivos, além de serem depósitos de abuso sexual, humilhação, vexação e violência emocional constantes.

Luiza Bairros tem uma frase muito interessante que explicita muito bem o lugar que a sociedade confere à mulher negra: "Nós carregamos a marca". Não importa onde estejamos, a marca é a exotização dos nossos corpos e a subalternidade.

Desde o período colonial, mulheres negras são estereotipadas como sendo "quentes", naturalmente sensuais, sedutoras. Essas classificações, vistas a partir do olhar do colonizador, romantizam o fato de que essas mulheres estavam na condição de escravas e, portanto, eram estupradas e violentadas, ou seja, sua vontade não existia perante seus "senhores".

Um exemplo dos estigmas impostos aos corpos das mulheres negras que demonstra como funciona a imposição do lugar que devemos ocupar é o caso da chamada Vênus Hotentote, cujo nome verdadeiro era Sarah Baartman. Nascida em 1789 na África do Sul, foi levada, no início do século xix, para a Europa. Ela deu um corpo à teoria racista, sendo exibida em jaulas, salões e picadeiros por conta de sua anatomia considerada "grotesca, bárbara, exótica": nádegas volumosas e genitália com grandes lábios (uma característica presente nas mulheres do seu povo, os khoi-san). Seu corpo foi colocado entre a fronteira do que seria uma mulher negra anormal e uma mulher branca normal, a primeira considerada selvagem.

Por fim, o corpo de Baartman não recebeu nem um enterro digno. Após o falecimento, esqueleto, órgãos genitais e cérebro foram preservados e exibidos em exposição em Paris, no Museu do Homem. Até depois de morta ela foi manejada e experimentada como espécime, peça de coleção a serviço da pesquisa e do cientificismo branco europeu. Somente em 2002, a pedido de Nelson Mandela seus restos mortais foram devolvidos à África do Sul. Mais de duzentos anos depois, ela não foi considerada gente.

A história de Baartman se passou há séculos, mas esse estigma ainda recai sobre nós, negras. Atualmente vemos um canal influente como a Rede Globo que, por quase trinta anos, expõe mulheres negras nuas a qualquer hora do dia ou da noite no período de Carnaval, negando-se a nos representar para além desse lugar de exploração dos nossos corpos no resto do ano. Quantas mulheres negras vemos como atrizes, apresentadoras e repórteres nas grandes emissoras? Que papéis essas mulheres desempenham?

Raramente vemos mulheres negras na grade da Globo apresentando programas ou como protagonistas, mas no Carnaval, a emissora promove um "caça-mulatas" para eleger a nova Globeleza.

É necessário entender o porquê de se criticar lugares como o da Globeleza. Não é pela nudez em si, tampouco por quem desempenha esse papel. É por conta do confinamento das mulheres negras a lugares específicos. Não temos problema algum com a sensualidade, o problema é somente nos confinar a esse lugar, negando nossa humanidade, multiplicidade e complexidade. Quando reduzimos seres humanos a determinados papéis, retiramos sua humanidade e os transformamos em objetos.

Não somos protagonistas das novelas, não somos mocinhas nem vilãs, no máximo as empregadas que servem de mera ambientação, adereço (inclusive passível de abuso) para a história do núcleo familiar branco. Basta lembrar o último papel da grande atriz Zezé Motta na emissora, como a empregada Sebastiana em *Boogie Oogie*. Algumas atrizes como Taís Araújo e Camila Pitanga se destacam, mas não podemos ignorar que é por serem jovens e terem a pele mais clara. Mulheres como Ruth de Souza são esquecidas num meio que valoriza grandes nomes como Fernanda Montenegro. Isso não tem nada a ver com talento (tanto a primeira como a segunda têm versatilidade e técnica de sobra), mas sim com a cor da pele de cada uma e as oportunidades que lhes são dadas.

Qual será o destino das atuais atrizes negras brasileiras?

Ou das meninas negras que sonham estudar teatro e cinema?

Há lugar para elas? Se há, que lugar é esse?

Talvez o mesmo das atrizes negras mais velhas e Globelezas: o descarte e o esquecimento quando seus corpos não servirem mais. A verdade nua e crua é que a Globeleza atualmente só reforça um lugar fatalista, engessado, preestabelecido, numa sociedade brasileira racista e machista. Esse lugar fixo precisa ser rompido, começando com o fim desse símbolo.

Não aceitamos ter nossa identidade e nossa humanidade negadas por quem ainda acredita que nosso único lugar é aquele ligado ao entretenimento via exploração do corpo. Não aceitaremos mais nosso corpo refém da preferência e da vontade de terceiros, para deleite de um público masculino e de uma audiência que se despoja do puritanismo hipócrita apenas no Carnaval. Não aceitaremos mais nosso corpo narrado segundo o ponto de vista do eurocentrismo estético, ético, cultural, pedagógico, histórico e religioso. Não aceitaremos mais os grilhões da mídia sobre nosso corpo!

É necessário sair do senso comum, romper com o mito da democracia racial que camufla o racismo latente desta sociedade. Não podemos mais aceitar que mulheres negras sejam relegadas ao papel da exotização.

Este manifesto não só clama pelo fim da Globeleza como nasce da urgência e do grito (há muito abafado) pela abertura e incorporação de novos papéis e espaços para mulheres negras no meio artístico brasileiro. Um novo paradigma precisa despontar no horizonte dos artistas negros talentosos, que não contam com o abraço do reconhecimento.

O que falta para mulheres negras, como frisou a americana Viola Davis em seu discurso após ganhar o Globo de Ouro, são oportunidades. No Brasil, elas precisam ir além da ideologia propagada por atrações como *Sexo e as negas* e a Globeleza (ambas da mesma emissora). O questionamento é quanto a esse lugar único para mulheres que são múltiplas.

A construção de novos espaços já vem sendo feita de forma árdua na sociedade real, nas classes pobres, nos coletivos organizados, na juventude periférica, estudantil e trabalhadora, onde negras são maioria entre as adeptas de programas como Prouni ou já são cotistas nas universidades. Entretanto, esse novo lugar ainda não é refletido na mídia, ao menos não da forma mais fidedigna e verossimilhante possível. Fica evidente que não há interesse em nos representar tal qual somos. Parecemos um incômodo, e as poucas vozes negras de destaque são maquiadas, interrompidas ou roteirizadas a fim de amenizar nossa realidade ou glamorizar a favela.

Não podemos mais naturalizar essas violências escamoteadas de cultura. A cultura é construída, portanto os valores dela também o são. É preciso perceber o quanto a reificação desses papéis subalternos e exotificados para negras nega oportunidades para desempenharmos outros papéis e ocuparmos outros lugares. Não queremos protagonizar o imaginário do gringo que vem em busca de turismo sexual.

Basta! Já passou da hora!

Leituras e links sugeridos

ADICHIE, Chimamanda Ngozi. "The Danger of a Single Story". TEDGlobal, jul. 2009. Disponível em: <ted.com/talks/chimamanda_adichie_the_danger_of_a_single_story>. Acesso em: 23 mar. 2018.

ANGELOU, Maya. "Phenomenal Woman". In: _____. *Phenomenal Woman: Four Poems Celebrating Women*. Nova York: Random House, 1995.

_____. "Still I Rise". In: _____. *Phenomenal Woman: Four Poems Celebrating Women*. Nova York: Random House, 1995.

BEAUVOIR, Simone de. *O segundo sexo*. 2. ed. Trad. de Sérgio Milliet. Rio de Janeiro: Nova Fronteira, 2009. 2 v.

BLOGUEIRAS NEGRAS. Site. Disponível em: <blogueirasnegras.org>.

BOURDIEU, Pierre. "O campo científico". In: ORTIZ, R. (Org). *Pierre Bourdieu: Sociologia*. Trad. de Paula Montero e Alícia Auzmendi. São Paulo: Ática, 1983.

BUTLER, Judith. *Excitable Speech: A Politics of the Performative*. Nova York: Routledge, 1997.

_____. *Problemas de gênero: Feminismo e subversão da identidade*. Trad. de Renato Aguiar. Rio de Janeiro: Civilização Brasileira, 2003.

DAVIS, Angela. *Mulheres, raça e classe*. Trad. de Heci Regina Candiani. São Paulo: Boitempo, 2016.

GONZALEZ, Lélia. "A categoria político-cultural de amefricanidade". *Tempo Brasileiro*, Rio de Janeiro, n. 92-3, pp. 69-82, jan./jun. 1988.

GUILHERME, Paulo. *Goleiros: Heróis e anti-heróis da camisa 1*. São Paulo: Alameda, 2006.

HARDING, Sandra. "A instabilidade das categorias analíticas na teoria feminista". *Revista Estudos Feministas*, n. 1, pp. 7-32, 1993.

HOOKS, bell. *Feminism Is For Everybody: Passionate Politics*. Londres: Pluto Express, 2000.

INTELECTUAIS NEGRAS. Site. Disponível em: <intelectuaisnegras.com>.

KILOMBA, Grada. *Plantation Memories: Episodes of Everyday Racism*. Münster: Unrast, 2012.

MORRISON, Toni. *O olho mais azul*. Trad. de Manoel Paulo Ferreira. São Paulo: Companhia das Letras, 2003.

NUNES, Charô. "Blackface? Yes, We Can!". Blogueiras Negras, 18 abr. 2013. Disponível em: <blogueirasnegras.org/2013/04/18/blackface-yes-we-can/>. Acesso em: 23 mar. 2018.

SILVA, Donald Veronico Alves da Silva. *O jogador negro no futebol brasileiro: Uma história de discriminação*. Santos: Universidade Santa Cecília, 2004. Monografia (TCC em Educação Física).

TELES, Maria Amélia de Almeida. *Breve história do feminismo no Brasil — e outros ensaios*. São Paulo: Alameda, 2017.

WALKER, Alice. *A cor púrpura*. 12. ed. Trad. de Betúlia Machado, Maria José Silveira e Peg Bodelson. Rio de Janeiro: José Olympio, 2016.

_____. *De amor e desespero: História de mulheres negras*. Trad. de Waldea Barcellos. Rio de Janeiro: Rocco, 1998.

WERNECK, Jurema; MENDONÇA, Maísa; WHITE, Evelyn C. (Orgs.). *O livro da saúde das mulheres negras: Nossos passos vêm de longe*. Rio de Janeiro: Pallas, 2000.

WOLLSTONECRAFT, Mary. *Reivindicação dos direitos da mulher*. Trad. de Ivania Pocinho Motta. São Paulo: Boitempo, 2016.

1ª EDIÇÃO [2018] 17 reimpressões

ESTA OBRA FOI COMPOSTA POR OSMANE GARCIA FILHO EM MINION
E IMPRESSA PELA GRÁFICA BARTIRA EM OFSETE SOBRE PAPEL PÓLEN BOLD
DA SUZANO S.A. PARA A EDITORA SCHWARCZ EM JUNHO DE 2021

A marca FSC® é a garantia de que a madeira utilizada na fabricação do papel deste livro provém de florestas que foram gerenciadas de maneira ambientalmente correta, socialmente justa e economicamente viável, além de outras fontes de origem controlada.